COLLECTION 14/18
dirigée par Mélanie Lescort et Jonathan Desrosiers

LES VOIES DU SLAM

Claudia Lahaie

Les voies du slam

ROMAN

David

Catalogage avant publication de Bibliothèque et Archives Canada

Titre : Les voies du slam / Claudia Lahaie.
Noms : Lahaie, Claudia, auteur.
Collections : 14/18.
Description : Mention de collection: 14/18
Identifiants : Canadiana (livre imprimé) 20220401705 |
Canadiana (livre numérique) 20220401756 |
  ISBN 9782895979234 (couverture souple) |
  ISBN 9782895979241 (PDF) |
  ISBN 9782895979258 (EPUB)
Classification : LCC PS8623.A3895 V65 2022 | CDD C843/.6—dc23

Nous remercions le Gouvernement du Canada, le Conseil des arts
du Canada, le Conseil des arts de l'Ontario et la Ville d'Ottawa pour
leur appui à nos activités d'édition.

Les Éditions David
269, rue Montfort, Ottawa (Ontario) K1L 5P1
Téléphone : 613-695-3339 | Télécopieur : 613-695-3334
info@editionsdavid.com | editionsdavid.com

À mes enfants,
Pierre, Marie et Paul.

MONTRÉAL

CHAPITRE 1

Papa

Mon père est mort.

C'est arrivé il y a huit ans.

Cette journée-là, elle est gravée dans mon crâne.

Je revenais à pied de l'école qui avait tout juste recommencé. Dans ce temps-là, ma maison était située dans le quartier Ahuntsic à Montréal. J'ai toujours aimé sa couleur jaune criard. Pas comme toutes les autres qui étaient beiges, brunes et grises. En tournant le coin de la rue, j'ai vu une ambulance qui s'en allait en direction opposée.

Puis, j'ai aperçu les belles fleurs de ma maison qui débordaient des pots comme des chutes multicolores. Ça m'avait fait repenser à ma fête de huit ans, il y a moins d'une semaine. C'était tellement beau ! Il y avait des ballons accrochés partout dans la maison. Puis, des boissons rouges, roses, bleues, vertes. Puis, des chapeaux. Puis, des flûtes !

J'ai ouvert la porte de la maison. Vlan ! J'ai été saisie d'une mauvaise sensation comme si tout autour de moi n'avait plus de couleur, que les fleurs colorées étaient devenues grises et perdaient peu à peu leurs pétales. Je n'aimais pas ça. Mais je ne savais pas pourquoi. Le salon était rangé, pareil au matin. Même si je ne comprenais pas ce qui se passait, je me suis mise à grelotter. C'est seulement à ce moment-là que j'ai entendu des gens qui pleuraient.

– Non ! Non ! Pourquoi ?

C'était la voix de ma mère, mais pas comme d'habitude, plus désespérée. Ça m'a fait comme un violent coup au cœur. Je me suis réfugiée par terre en petite boule. Je ne pouvais plus bouger. Je n'avais pas refermé la porte. Je regardais dehors, les marches, le trottoir. J'entendais d'autres voix provenant de la maison, mais je n'arrivais pas à les distinguer. Tout à coup j'ai entendu quelqu'un traverser le corridor à toute vitesse. C'était ma mère. Elle criait Justine ! Justine ! Elle m'a prise dans ses bras et m'a serrée très fort.

– Ma chérie, ma chérie. Ché pas quoi t'dire. Papa…

Effrayée, j'ai regardé ma mère dans les yeux. Ils étaient tellement sombres, comme ceux d'un écureuil terrorisé qui traverse vite la rue pour ne pas se faire frapper par une voiture. J'ai tourné mon regard vers l'extérieur. J'ai repensé à l'ambulance que j'avais vue. Elle circulait en silence. Les sirènes n'étaient pas allumées. Ça ne devait pas être si urgent que ça.

Ma mère s'est mise à pleurer. Moi aussi, sans comprendre pourquoi. Elle ne cessait de me dire qu'ils n'avaient pas pu sauver mon père. Je ne comprenais plus rien. Puis, j'ai crié :

– Maman, qu'est-ce qu'y'a ?

J'ai aperçu ma grand-mère et mon grand-père qui s'approchaient, les yeux tout mouillés. Mais ils semblaient être plus calmes que ma mère. Ma grand-mère s'est agenouillée devant moi.

– Justine, ma chérie, regarde-moi. Ton papa. Il est arrivé quelque chose à ton père. Les ambulanciers n'ont pas pu l'aider. Ils l'ont amené à l'hôpital. Ils... mais... ils n'ont pas réussi. Il est mort.

Tout s'est immobilisé. J'espérais que le temps s'arrête comme ça, toujours. Je refusais que la vie continue, car elle serait sans mon père. Ma grand-mère a voulu me prendre dans ses bras. Je l'ai repoussée. De grosses larmes coulaient lentement sur les joues de ma grand-mère et de mon grand-père. Je ne pouvais pas croire ça. Je ne voulais pas.

– Papa ? Mort ? Mon papa ? Où est-ce qu'y l'est ? Papa ! Papa ! Je veux le voir !

Dans ma tête, je me disais : « Pourquoi il est mort ? Pourquoi ? Ça s'peut pas. C'est pas juste ! »

Je voulais recommencer à pleurer, mais j'en étais incapable. Je n'avais pas non plus la force de crier. La douleur dans ma poitrine était revenue, moins aiguë que la première, mais elle envahissait mon cœur, ma tête, comme si elle tentait de s'y incruster.

J'ai posé mon regard sur ma mère qui pleurait toujours sans s'arrêter. Je me sentais tellement seule.

J'ai alors aperçu Sophie, ma sœur, qui s'approchait de moi, titubant encore un peu. Ça ne faisait même pas deux semaines qu'elle avait commencé à marcher. Arrivée près de moi, elle a empoigné mon bras très fort pour ne pas tomber en s'arrêtant et m'a souri.

– Pa-pa. Pa-pa.

* *
*

Deux jours plus tard, j'ai vu un catalogue avec tous les modèles d'urnes sur la table de la cuisine. Alors que nous allions nous rendre à l'hôpital pour dire un dernier au revoir à mon père, ma mère m'avait expliqué que mon père allait être incinéré et que ses cendres seraient mises dans une belle urne. J'avais entendu mes grands-parents et ma mère discuter si le pot serait chez nous ou chez eux ou dans un centre funéraire avec d'autres personnes décédées. Moi, je ne comprenais pas à quoi ça servait de discuter de l'emplacement d'un pot. Depuis deux jours que je n'avais pas joué avec mon papa, qu'il ne serait plus jamais là pour moi, pour me comprendre, pour finir de m'apprendre à faire du vélo à deux roues. Moi, ce que je me posais sans cesse comme question, c'était comment j'allais faire pour apprendre à vivre sans lui. Ce n'était pas l'endroit où on mettrait le pot qui allait m'aider. Je me sentais si perdue.

Quand nous sommes arrivés à l'hôpital, on a pris un grand ascenseur jusqu'au quinzième étage. C'était presque le dernier. Mon grand-père a dit que c'était comme si on allait au ciel. En marchant vers la chambre de mon père, ma mère s'est mise à pleurer vraiment fort. Ma grand-mère et mon grand-père l'entouraient et l'aidaient à avancer. J'ai pris la main de Sophie. J'ai aperçu des infirmières nous regarder, Sophie et moi, elles se cachaient pour essuyer leurs larmes. J'avais un peu peur d'aller voir mon père. J'en ai vu des morts à la télévision et ils ne sourient jamais. Mon père, quand il me voyait, il souriait tout le temps, même si parfois il avait les yeux tristes.

Lorsque nous sommes entrés dans la chambre, tout le monde était silencieux, même Sophie qui était impressionnée par toutes les machines éteintes qui entouraient le lit de mon père. J'ai regardé mon père allongé. On m'avait dit que c'était comme s'il dormait. Moi je ne trouvais pas du tout que c'était la même chose. J'avais eu hâte de voir mon père, mais c'était comme si la personne qui était couchée sur le lit, ce n'était pas vraiment mon père. Sa peau avait comme changé de couleur. Elle brillait moins et il ne sentait même pas comme d'habitude. Lorsque je lui ai touché la main, elle était toute froide et pesante. Une vague de déception m'envahit. Ce n'était pas sa grande main chaude qui était capable de couvrir la mienne au complet. Je me suis mise à murmurer « Papa, papa » dans le creux de son oreille. Il ne m'a pas répondu. Rien. Il n'a même pas bougé les paupières ou les lèvres. Il ne m'a pas entendu. Jamais plus il ne pourra m'entendre. Jamais. Jamais.

* *
*

Six mois après le décès de mon père, un autre grand changement se produisit dans ma famille. Nous allions déménager. Ma mère et moi étions toutes les deux assises sur le plancher, côte à côte, la tête appuyée contre le mur. Les lampadaires dans la rue brillaient dans la noirceur depuis un petit bout de temps. Nous avions terminé de faire les boîtes. J'étais épuisée. J'ai tourné ma tête par en haut pour observer ma mère.

« Elle a l'air fatiguée, mais elle n'a plus sa grosse barre sur le front. Même si j'ai pas tellement l'goût, j'espère juste que ça va être plus facile si on demeure chez grand-maman et grand-papa. »

Ma mère s'est levée.

– Justine est-ce que tu veux que je t'apporte un Coke ? Je m'en vais m'en chercher un dans l'frigo. T'as travaillé vraiment fort.

Alors que ma mère s'affairait dans la cuisine, j'ai fait un survol du salon. Il y avait des boîtes partout. J'avais le vertige. Je me sentais perdue. Je ne voulais plus quitter ma maison. J'ai plié mes genoux que j'ai entourés de mes bras et j'ai caché ma tête pour faire comme une petite boule. J'avais peur. J'étais paralysée par ce néant qui m'effrayait et me dépassait. Mon corps était trop tendu pour que je puisse pleurer. Ma mère est revenue et a placé la bouteille de Coke dans l'une de mes mains et s'est assise à côté de moi. Je fixais le plancher en faisant de gros efforts pour me ressaisir. J'ai pris une, puis deux, puis trois grosses gorgées. Je me concentrais sur le pétillement de la liqueur dans ma bouche. Depuis la mort de mon père, j'avais toujours essayé de cacher mon chagrin à ma mère, car j'avais vite compris qu'elle avait besoin de mon aide. Ma petite sœur, qui n'avait qu'un an et demi, avait plus besoin d'une mère que moi. Mais ce soir, c'était plus fort que moi. Mes épaules ont commencé à trembler, je me suis mise à sangloter. J'ai tourné mon visage couvert de larmes vers ma mère.

– Maman, pourquoi papa est mort ? C'est trop difficile. C'est pas juste.

– Justine… Justine…

Ma mère semblait chercher ses mots. Elle et moi n'avions jamais beaucoup parlé de la mort de mon père.

– Justine, moi aussi je trouve ça difficile. J'aurais mieux aimé qu'ça soit différent.

Des larmes ont commencé à couler lentement sur les joues de ma mère qui s'est mise à regarder au loin.

– Il faut que tu comprennes que papa, il souffrait beaucoup, beaucoup. Trop. Maintenant, nous sommes toutes les trois ensemble.

Ma mère s'est mise à pleurer plus fort. Elle essayait d'essuyer ses larmes au fur et à mesure. Je ne savais pas quoi faire. Je me suis dit que je n'aurais jamais dû parler de la mort de mon père et me suis jurée que je ne le ferais plus jamais. Ça rendait ma mère trop triste. Elle s'est calmée et s'est mise à sourire malgré son visage encore tout ruisselant. Elle a pris ma main.

– Demain, c'est un peu comme une nouvelle vie qui commence. Il faut regarder en avant, Justine.

*   *
*

Le jour du déménagement chez mes grands-parents dans le Plateau Mont-Royal à Montréal était arrivé. Je suis entrée chez mes grands-parents, une petite boîte sous le bras gauche, ma poupée Clémentine sous l'autre. Je n'avais jamais prêté attention à la décoration démodée. Mais ce jour-là, c'était différent. J'allais habiter cet endroit pour de bon. Le tapis brun du salon me dégoûtait. J'ai fait la promesse que je ne m'assoirais jamais par terre. C'est alors que j'ai aperçu le piano tout au fond. Lors de l'annonce du déménagement, mes grands-parents m'avaient promis des leçons de piano ! J'ai fait un grand sourire, laissant tomber ma boîte et Clémentine sur le tapis. J'ai couru m'asseoir sur le banc trop bas pour moi et j'ai commencé à pianoter. Vite, une pensée m'a traversé l'esprit. Je n'avais pas encore vu ma chambre !

Je me suis arrêtée aussitôt de jouer et j'ai couru vers la pièce adjacente au salon qui servait jusqu'à maintenant de débarras. Ma grand-mère avait dit qu'elle allait la vider pour en faire une chambre pour Sophie et moi. Je me suis arrêtée net.

« C'est ça la chambre que je vais partager avec ma soeur ! »

La chambre était minuscule. Elle était plus petite que celle que j'avais dans mon ancienne maison. MA chambre que je ne partageais pas. J'ai senti comme une grosse boule qui grossissait, grossissait, grossissait dans mon ventre. Je sentais que j'allais exploser.

« C'est pas juste ! Papa n'est plus là. Sophie a toute l'attention de maman parce qu'elle est petite. Et moi, je n'ai plus rien. J'aurais au moins le droit d'avoir encore ma chambre ! Jamais les choses ne vont être comme avant ! Jamais ! »

Je me suis planté les deux mains sur les hanches. D'un air de défi, j'ai examiné les deux montagnes de boîtes qui jonchaient la pièce. J'ai regardé en direction de MES boîtes.

« On verra bien combien je vais réussir à en entasser. »

Puis j'ai fixé celles de ma sœur.

« Et à en sortir. »

*   *

*

Un an après le décès de mon père, alors que je venais encore de faire disparaître quelques jouets appartenant à ma sœur à l'insu de ma mère, une grande nouvelle est arrivée.

— Les filles, les filles, venez vous asseoir dans l'salon, s'est exclamée ma mère.

En entrant, j'ai vu mes grands-parents qui étaient assis sur le divan et ma mère, sur le fauteuil. Sophie courait avec ses petites jambes en direction du banc de piano. Je l'ai dépassée en lui donnant un petit coup de coude. Sophie s'est retrouvée par terre sur le tapis et moi, sur le banc de piano. Ma mère, qui a fait comme si elle ne s'était rendu compte de rien, a commencé à parler.

— Je sais que nous sommes passées à travers des moments très difficiles depuis le.... la mort de votre père. Maintenant que je vais très bien, le docteur Gingras lui-même l'a dit, vos grands-parents ont voulu nous faire une grosse surprise !

Ma grand-mère s'est levée d'un air solennel. Elle s'est retournée et a regardé en direction de mon grand-père qui demeurait confortablement assis.

— Paul, Paul, lève-toi.

Mon grand-père s'est levé avec difficulté du sofa.

— Bon ! s'est écriée ma grand-mère avec enthousiasme. Après le décès de votre père, ça a été douloureux pour tout le monde. Pour aider votre mère à se virer de bord, vous êtes déménagées chez nous. Je sais que ça n'a pas été facile. Mais elle est courageuse vot' mère.

Ma grand-mère et ma mère ont échangé un regard. Je trouvais que ma mère ressemblait à une enfant de trois ans, comme Sophie lorsqu'elle se faisait dire qu'elle avait fait un beau dessin.

Ma grand-mère a enchaîné :

— Votre mère a réussi à se trouver un travail. Elle qui n'avait jamais travaillé. Couturière, ce n'est pas un métier facile!

En prononçant ces derniers mots, elle a fait deux pas pour se rapprocher de Sophie et de moi. Puis, elle s'est penchée vers nous.

— Bon! Les enfants!

Je voyais que Sophie n'écoutait plus et s'amusait à tirer les fils du tapis répugnant. Je lui ai commandé de regarder grand-maman.

Cette dernière nous a regardées toutes les deux dans les yeux.

— La semaine prochaine, votre grand-père et moi allons déménager dans une résidence pour personnes âgées. Vas-y, Paul.

— Hum, hum. Oui. Nous avons décidé de donner notre condo à votre mère.

Les yeux écarquillés, j'ai examiné mon grand-père puis ma grand-mère. Elle regardait ma mère. J'ai senti que mon ventre allait exploser de joie.

— Ça veut dire que j'vais pouvoir avoir une chambre à moi toute seule?

CHAPITRE 2

Pas « comme pauvre »

Dans une semaine, ça fera huit ans déjà que mon père est mort. Je déambule sur le trottoir de la rue Garnier située dans le Plateau Mont-Royal à Montréal pas très loin de ma maison, qui était celle de mes grand-parents. Bien que j'aie maintenant seize ans, il semble que je conserverai toujours ma taille de gamine de douze ans. Je possède une longue chevelure noire, faisant des vagues brillantes comme la mer par beau temps. Une mèche teintée bleue ressort comme un grand ressac. Guillaume, mon ancien chum, qualifiait ma beauté de sage, insondable. Il disait que j'étais inconsciente de mon charme, que c'est pour cela que je me faisais toujours une queue de cheval. J'ajouterais aussi que c'est par faute de temps.

Mon épaule gauche est affaissée à cause du cruchon de lait de quatre litres que je transporte. De ma main droite, je m'amuse à faire tourner un sac de pain blanc en tranches, sur lequel il est écrit POM en grosses lettres rouges. Le pépiement des oiseaux compétitionne avec le vrombissement des automobiles et des autobus de la ville. Je ne me fatigue pas d'observer la série d'appartements à trois étages qui longent la rue. Ils ont toute une rampe en fer forgé noire épousant la courbe de l'escalier menant au petit balcon du deuxième étage. Les propriétaires sont fiers de leur habitation. On dirait un arc-en-ciel : l'une rouge, l'autre orange, puis jaune, verte, bleue. Partout, des boîtes à fleurs et des pots sont suspendus. J'aime leur beauté et leur luxe.

Je poursuis toujours mon chemin sur la rue Garnier. Arrivée entre le boulevard Saint-Joseph et l'avenue Laurier, je m'arrête devant ma maison. Cette dernière est très défraîchie. La rouille a vaincu depuis longtemps la teinture noire du perron de fer forgé. La peinture craquelée sur les murs ressemble à une immense toile d'araignée.

Depuis la mort de mon père, j'ai toujours refusé de me considérer comme pauvre. Ma mère m'a toujours donné suffisamment de quoi manger et un peu d'argent de poche à l'occasion pour m'acheter de la nourriture à la cafétéria de l'école. Je n'ai pas honte de mes vêtements. Je me débrouille toujours pour trouver ce dont j'ai besoin pour avoir du style. Les friperies m'aident beaucoup. C'est un secret que seules ma meilleure amie Laurence (Lola) et moi partageons. À seize ans, nous avons toujours été dans la même classe depuis que je suis déménagée dans le quartier, sauf en cinquième.

Mais il y a quand même des jours où je trouve ça plus difficile. Durant ces moments, comme quelqu'un écoute sa chanson fétiche ou regarde son film préféré, je relis un passage au hasard d'un des six volumes des *Chroniques du Plateau* de Michel Tremblay que je connais par cœur. Je me plais à croire que certains des personnages, qui étaient de simples ouvriers vivant sur le Plateau Mont-Royal, ont habité dans le même appartement que moi.

Je pousse la porte de l'appartement, puis la referme aussitôt. Je fais toujours comme si je ne voulais pas que quelqu'un puisse voir à l'intérieur. C'est plus par jeu que par honte. Un long corridor traverse tout l'appartement et conduit à la petite cuisine tout au fond. Il y a des vêtements à sécher étendus un peu partout. Je me débarrasse en vitesse du cruchon de lait, en secouant mon poignet avec vigueur. Et hop! Deux tranches de pain dans le grille-pain.

— Fi-fi, viens déjeuner.... Fi-fi!
— J'arriiive! J'ai faim!

J'entends ma sœur qui traverse le corridor à la course.

Après le déjeuner, on s'en va au salon. Les quatre murs sont recouverts d'un vieux papier peint vert avec des motifs orange. La moquette, qui n'a pas arrêté de prendre de l'âge, ressemble à du gazon brun. Au fond, droit, lourd et vieillot, se trouve mon piano. Le patriarche de la famille. Le vieux fauteuil et le divan sont toujours les seuls autres meubles. Rien n'a changé. On se serait cru dans les années 1970. Tout l'appartement en fait semble dater de cette époque, mis à part la télévision à écran plat ainsi que nos chambres à Sophie et à moi.

Sophie est juchée sur le calorifère en métal peint brun. Maman n'est pas là, donc elle en profite. Elle a les cheveux blonds très raides, comme ceux de maman, qu'elle n'attache jamais. Son arme secrète est son petit nez retroussé. La plupart des gens qui la rencontrent ne peuvent s'empêcher de s'exclamer d'une voix mielleuse : «Elle est tellement *cute*!» comme s'il s'agissait d'une bambine de deux ans. Ses yeux sont bleu ciel. Tandis que ses petites fesses enveloppées d'un vieux pantalon de coton ouaté rose sont bien au chaud, elle est absorbée à écrire dans son petit carnet noir. Sophie se parle à elle-même.

Dissimulée dans le vieux fauteuil mou en velours vert qui a déjà accueilli d'innombrables autres postérieurs, je quitte mon cellulaire et mon livre que je regardais en parallèle.

— Fi-fi, arrête de faire du bruit.

Avec mes yeux masqués par mes lunettes de plastique turquoise, je tente de deviner ce que Sophie est à manigancer. Je suis découragée.

— Ah non! dis-moi pas que t'es encore en train de faire semblant que t'es une détective. T'as neuf ans! C'est tellement bébé.

— Non, Ju-ju, c'est pas bébé.

— Arrête de m'appeler Ju-ju. Ça, c'est bébé!

J'arrache le carnet des mains de ma soeur. Je le tourne dans tous les sens. Il n'y a rien à comprendre.

— Comme j'disais, c'est complètement bébé ton affaire. Y'a rien de lisible.

— C'est parce que c'est un langage secret! Je peux le décoder. Écoute. «Une madame (maman) quitte la maison à 7 h 20 le 26 août. Elle se dirige vers sa voiture. Elle part. Destination : inconnue.» Tu vois, Ju-ju. Eups, je veux dire, Justine. C'est pas bébé du tout!

Les deux mains sur la taille, Sophie remonte son nez dans les airs, arborant un immense sou-

rire. Je hausse les épaules, encore plus découragée qu'avant, puis quitte le salon en lançant :
— J'aurais dû avoir un grand frère !

LOLA

Viens, j'ai un RDV avec tu sais qui, mais j'ché pas quoi mettre. Viens m'aider !!!

16:09

JUSTINE

Ma mère travaille. Je dois garder Fi-fi ! Je vais aller te voir quand ma mère va arriver.

16:10

LOLA

K
Amène ta bourse rouge. Pas hâte à l'école demain 🙁

16:10

JUSTINE

🙁🙁🙁🙁🙁🙁🙁🙁

16:10

CHAPITRE 3

Demain, le « grand jour »

Plus qu'un jour et la première semaine complète d'école est terminée. Mais pour moi, il ne me reste qu'une demi-journée. Je descends de l'autobus au coin des rues Saint-Joseph et Garnier. Il est dix-sept heures, l'un des moments les plus spectaculaires de la journée. Le soleil a une luminosité si brillante que tout semble un peu plus beau, surréel. Les jaunes, orangés, rouges et verts des feuilles éclatent comme de petits feux d'artifice. Le ciel est rempli de teintes rosées, violacées et orangées. Je me dirige tranquillement vers la maison. Je laisse traîner mes pieds en tentant d'amasser le plus possible les quelques feuilles des érables, frênes et ormes qui jonchent déjà les trottoirs étroits. J'aperçois la belle église Saint-Stanislas avec ses deux clochers comme enveloppée d'un doux mirage doré. J'entends le petit chien de la voisine qui aboie et des enfants qui courent dans la ruelle. Une bouffée de joie m'emplit. Pour un très court instant, un sentiment de paix m'habite.

J'ouvre la porte de l'appartement. Je m'étire et jette un coup d'œil à gauche dans le salon. Comme je m'y attendais, des chandelles multi-colores disposées autour d'un plateau couvert de feuilles d'automne bien lisses sont prêtes à être allumées. Une musique d'Arcade Fire joue. Je sais déjà que Jean Leloup, Jacques Brel et Leonard Cohen ne sont pas bien loin.

Papa est mort. J'ai maintenant le double de l'âge de quand il est décédé. Déjà. Papa. Moi qui haïssais tout ce qui me faisait penser à lui. Je l'aime maintenant cette soirée spéciale de sep-tembre où on se souvient de lui toutes les trois.

— Justine, viens m'aider! On est dans la cuisine.

— J'arrive.

Accoudée sur le comptoir, j'observe ma mère. Ses cernes sont moins creux. Ils ne descendent plus à la hauteur de ses joues. Elle est aussi moins courbée. Plus droite, plus sûre d'elle. Tout à coup elle se retourne, approchant ses mains pleines tout près de mes yeux.

— Regarde les gros steaks! Y'étaient en spé-cial. Comme celui que ton père aimait! J'aurais pas dû. Mais je me disais que comme c'est sa journée, autant en profiter.

C'est alors que j'aperçois Sophie, cachée dans un coin. Elle filme avec la petite caméra ayant appartenu à papa.

— Ju-ju, t'as-tu vu les belles feuilles que j'ai placées dans le plateau? C'est beau hein?

Le souper hors norme terminé, toute ma famille se dirige vers le salon. Ma mère allume chacune des bougies avec tendresse comme s'il s'agissait de verser une goutte dans l'œil d'un enfant. En silence, Sophie et moi l'observons. Toutes les trois sommes assises. Les petites flammes brillantes virevoltent tandis que leurs grandes sœurs miment leurs mouvements sur les murs. Je lis un passage du livre *Allegro*, de Félix Leclerc. J'ai choisi de terminer par la phrase : « C'est précieux, les peines. Je ne donnerais pas ma confiance à celui qui ne sait pas ce que c'est. »

Je ferme le livre et regarde ma mère. Elle me sourit d'un regard entendu. C'est demain le grand jour.

Avant de me coucher, j'écris dans mon journal. Je l'ai fait beaucoup durant les six derniers mois. Ça m'aide à me comprendre.

CHAPITRE 4

La dernière pilule

— T'es chanceuse, tu vas même pas à l'école à matin.

Sophie se tient dans l'embrasure de porte de ma chambre. Je suis allongée sur mon lit, silencieuse. Mon journal tenant lieu de paravent, je peux observer chacun de ses gestes sans qu'elle ne s'en aperçoive.

Avec hésitation, Sophie entre dans ma chambre. Je ne fais aucun bruit. Je devine sa surprise à ses yeux bleus écarquillés, gros comme des bleuets du Lac-Saint-Jean. D'habitude, je lui lance mon cri tonitruant, un mélange de rugissement de lion et d'aboiement de chien pour qu'elle foute le camp de ma chambre.

Sophie exécute trois pas timides dans ma direction. Occasion rarissime. Faisant semblant de n'avoir rien vu, je m'adresse à elle, parcourant du regard les pages de mon bouquin :

— C'est pour aller chez l'docteur. Chus pas si chanceuse que ça....

Je sais qu'elle déborde de joie d'être dans ma chambre. Je continue de l'épier. La voilà qui se dandine, cherchant quelque chose à dire. Après une pause de vingt secondes, je décide de briser le silence.

– Ah oui! C'est vrai! Maman va peut-être m'acheter une pointe de pizza pour le lunch! dis-je d'un ton sarcastique.

– C'est pas juste! Maman! crie Sophie, les poings levés.

Du vestibule, ma mère parle fort, d'un ton impatient.

– Sophie! Viens-t'en! Tu vas manquer ton autobus!

Je fixe Sophie de mes yeux moqueurs.

– Vite, Fi-fi, tu vas être en retard. J'espère que tu vas t'faire du fun à l'école!

Elle quitte la chambre tout en me fusillant du regard. J'entends les petits pas de course dans le corridor en direction de la porte d'entrée.

– Maman, Justine arrête pas de m'gosser!

– Quand est-ce que vous allez arrêter de vous chicaner! crie ma mère d'une voix exaspérée.

Je ricane. La porte claque. Je me lève aussitôt et me dirige vers la salle de bain. Après m'être contemplée un court instant dans le miroir, j'ouvre la pharmacie. J'empoigne une bouteille blanche en plastique sur laquelle y est inscrit Paxil. Je referme la pharmacie et ouvre sans problème le bouchon de sécurité de la bouteille.

Je me rappelle toutes les difficultés que j'ai eues à ouvrir cette fichue bouteille lorsque j'ai commencé à prendre mes pilules. Depuis toujours, c'était ma mère qui m'administrait mes médicaments : du sirop pour la toux ; de l'acétaminophène pour un mal de ventre, de tête ou pour de la fièvre ; en de très rares occasions, des antibiotiques, trois fois par jour, qu'il ne fallait pas sauter. La prescription de Paxil consistait en un comprimé par jour, tous les jours, pour six mois. Cette fois, ça allait être différent.

— Justine, à seize ans, tu es capable de t'occuper de tes médicaments toute seule. Tu as entendu le médecin. C'est important que tu prennes une pilule tous les matins si tu veux guérir. Je t'fais confiance.

J'incline la bouteille de ma main gauche. Un comprimé ovale et jaune glisse, puis tombe dans mon autre main. Paxil gravé sur une face et 10 mg gravé sur l'autre. Le dernier comprimé! Comme le point final d'un très, très, très long travail. Je n'en ai jamais fait d'aussi long!

Zieutant le miroir, je m'observe ouvrir la bouche, y déposer le comprimé tout au fond sur ma langue, puis l'avaler, sans gorgée d'eau. C'est à peine si mon cou a bougé. Je fais un grand sourire en pointant le miroir :

— Ma chère Justine, c'est fini! F fi fi N ni ni! Fini!

Et vlan, la bouteille vide dans la poubelle. Je la regarde pour une dernière fois, voguant parmi les vieux mouchoirs.

« Ah! Je suis tellement contente, vide, vide la bouteille! Fini les pilules! J'haïssais tellement ça les avaler. J'avais toujours mal au cœur. »

Je me regarde dans le miroir à nouveau. J'enlève l'élastique qui retient mes longs cheveux puis les ramène à l'avant de chaque côté de mon cou, par-dessus mes épaules. Je me tourne d'un côté, de l'autre, m'admire sous tous mes angles.

« Guillaume m'aurait trouvé sexy comme ça. Mais on s'en fout de Guillaume ! Il m'a laissée. C'est tant pis pour lui. »

Je rapproche mon visage du miroir pour mieux contempler mes yeux.

Ils sont brillants, or et verts. Je n'ai plus de cernes.

Je recule et prends une profonde respiration, puis fais un grand sourire.

Je suis belle. J'ai vraiment l'air en forme. Je sais que je suis capable de trouver mieux que Guillaume. Mon ex ! Ça ne me dérange même plus de dire qu'il est mon ex. Il y a même Simon qui a commencé à me parler et à me regarder d'une façon bizarre. Je n'aurais jamais pensé que ça arriverait !

« Oui ! Je rayonne. Je vais avoir une vie comme tout le monde maintenant, comme avant. »

Je jette un coup d'œil à mon cellulaire : 8:26.

Encore une demi-heure avant d'aller chez le docteur.

Je m'en vais dans le salon, m'assois sur le banc qui tourne devant le piano. Durant les six derniers mois, mon piano aura été particulièrement réconfortant. Après Laurence, c'est lui qui aura été mon meilleur allié. À travers lui, je réussis à faire passer toutes mes émotions. Comme je me sens de bonne humeur aujourd'hui, je décide de m'attaquer à toutes les gammes et à tous les arpèges. Les majeures et les mineures, au complet ! Mes doigts ayant encore le goût de courir sur le clavier, j'exécute quelques gammes chromatiques, puis enchaîne avec mes trois études favorites de Czerny.

Lorsque ma mère entre, ce sont les harmonies complexes de Bach, rapides, claires, joyeuses qui courent dans l'appartement. Toute une différence. Les six derniers mois avaient compté plusieurs longs moments de silence toujours entrecoupés des cinq mêmes *Nocturnes* de Chopin, lentes et mélancoliques.

— Justine, c'est l'heure de partir! Es-tu prête? lance ma mère.

— J'arrive!

Toutes les deux nous nous installons dans la vieille Toyota Tercel qui n'est que de trois ans ma cadette. Le bleu marine scintillant de la carrosserie est devenu un mélange de rouille brune et de bleu foncé sale. J'ai déjà eu honte d'être vue dans cette bagnole, mais aujourd'hui, je m'en fous. Tout ce qui importe, c'est qu'elle roule. Ma mère et moi allons à l'hôpital Sainte-Justine et c'est pour la dernière fois.

Je regarde droit devant moi. Un souvenir surgit dans ma tête.

J'étais parmi d'autres élèves de mon niveau. Sans trop y penser, j'ai commencé à me comparer à eux. Je me suis sentie mal en réalisant que j'étais la seule élève qui n'avait plus de père. Sans m'y attendre, tout mon chagrin est remonté violemment, partant du bas de mon ventre jusqu'à mon cœur. La secousse a été si grande que mon corps s'est figé et il m'a semblé que mon cœur sautait des battements. Des larmes ont jailli, mais je les ai essuyées du revers de la main le plus vite possible. Puis, j'ai éclaté en sanglots. Un silence complet s'est installé dans la classe. Je ne m'étais jamais sentie aussi seule.

La voiture continue sa course. Je sens mes yeux remplis d'eau. Je tourne la tête vers le côté en regardant à l'extérieur pour ne pas que ma mère me voie et s'inquiète.

Il y a des fois où je sens que je ne pourrai jamais m'en remettre complètement. Mes amies, mes cousins, quand je les vois jouer, rire, manger, partir en voyage avec leur père, parfois, ça me rend tellement triste. Depuis que papa est mort, maman a toujours eu de la difficulté à joindre les deux bouts. En plus, il y a eu ma maladie.

La voiture traverse l'avenue du Parc. Je reconnais Outremont, le quartier des bien nantis francophones de Montréal.

LOLA

Coucou ! Bonne chance avec la docteure ! Je t'ai acheté un petit cadeau 😊 Chut ! C'est vraiment plate quand t'es pas là ! xoxoxoxoxoxoxo

9:15

JUSTINE

Salut ! T'es trop fine ! J'ai hâte d'avoir fini ! LIBERTÉ !!! xoxoxo

9:16

Les voies du slam

– C'est qui qui vient de te texter ? demande avec douceur ma mère.

J'ai à peine eu le temps de terminer de taper ma réponse, que je sens poindre l'interrogatoire.

– C'est Lola... A me souhaite bonne chance...

– C'est vraiment gentil de sa part ! s'exclame ma mère en souriant.

J'attends la suite.

Rien.

C'est tout ? Plus d'questions ? Est-ce que je m'serais trompée et qu'elle voudrait vraiment juste avoir une conversation normale avec moi ? Elle n'arrête pas de mener des enquêtes sur moi. Elle a tellement peur qu'il m'arrive quelque chose. « J'ai de la misère à croire qu'elle veut seulement faire la conversation. Mais bon... »

– J'pense qu'elle a hâte que je retourne à l'école pour de bon. J'te dis qu'elle a l'air de s'ennuyer sans moi à l'école !

– Je suis contente que vous soyez de bonnes amies comme ça ! On ne pourra pas dire qu'elle ne t'a pas aidée ces derniers mois !

La voiture contourne l'imposant Pensionnat du Saint-Nom-de-Marie tout de pierres grises. Cinq minutes et nous arriverons à l'hôpital. Sans que ma mère puisse s'en rendre compte, je tourne discrètement la tête pour regarder à l'opposé de l'école. J'avais les notes pour y être admise. L'une des écoles pour filles les plus prestigieuses de Montréal. Mais ma mère a toujours cru qu'il n'était pas nécessaire que j'aille dans une école privée, que les écoles publiques étaient très bonnes. Elle n'avait jamais fait aucune démarche pour voir quel genre d'aide financière j'aurais pu recevoir.

Durant ce dernier moment du trajet, je me revois, six mois plus tôt, assise sur le même siège passager de la voiture, empruntant le même chemin qu'aujourd'hui.

*   *
*

Cela faisait déjà deux semaines que ma mère soupçonnait quelque chose. Au début, je me sentais épuisée au réveil, mais réussissais tout de même à me lever le matin et à me rendre à l'école. Le soir, au retour, je n'avais plus d'énergie pour faire mes devoirs ni même pour jouer du piano. Ma mère, au lieu de me réprimander pour ma paresse, semblait inquiète.

Tout ce que je voulais, c'était de dormir. Dormir et oublier Guillaume. Guillaume, mon copain des deux dernières années qui trouvait qu'il était beaucoup mieux pour tous les deux de « demeurer des amis, car notre cheminement d'études nous séparera un jour ou l'autre ». Guillaume, qui avait deux ans de plus que moi, allait commencer le baccalauréat international au Collège de Brébeuf, une des meilleures écoles privées mixtes de Montréal. Je m'en voulais d'avoir pu m'imaginer que Guillaume et moi, ça allait être pour la vie alors que mon école, c'était l'école secondaire publique du coin. Mais plus que tout, Guillaume me manquait, tout le temps, partout. Son absence me rendait folle. J'ai commencé à passer mes fins de semaine complètes à dormir. Plus je dormais, plus j'étais fatiguée. Au bout de dix jours, un matin, je n'ai plus eu la force de me lever pour aller à l'école. J'étais trop fatiguée. Ma mère, angoissée, a décidé de m'amener d'urgence à l'hôpital voir un psychiatre. Tout ce dont je me souviens de ma première visite, c'était que la D^{re} Laverdière m'avait remis un journal dans lequel elle voulait que j'écrive comment je me sentais.

Lors de notre dernière rencontre, elle m'avait demandé de le relire en réfléchissant à ce qui avait changé en moi depuis le début de ma dépression, il y a six mois. C'est la première chose que j'avais faite en me levant ce matin.

11 avril

Je suis malade. Je fais une dépression. Je me sens tellement fatiguée. Je veux être plus en forme. Je veux dormir.

9 mai

Ça m'écœure vraiment d'être dans cette situation. Je ne suis même plus capable d'aller à l'école, de faire mes devoirs. Si ça continue, ils vont me faire couler mon année. On dirait que je vais me sentir comme ça toute ma vie.

« C'est vrai que j'avais vraiment peur de ne jamais m'en sortir. Je me disais même que je m'étais peut-être toujours sentie comme ça, mais que j'étais arrivée à le cacher jusqu'à maintenant. »

23 mai

Aujourd'hui, je n'étais même pas capable de choisir comment je voulais m'habiller pour aller à mon rendez-vous à l'hôpital. Je suis toute seule tout le temps, à part Lola qui vient me voir un peu tous les jours. Je ne veux pas déranger, car sinon je ne vais pas être aimée.

Je dois être immobile. Je ne dois pas exister.
Mais je veux déranger. Je veux m'exprimer.

« Je n'en reviens pas comme je me sentais mal. C'est comme dans une autre vie, mais en même temps, je m'en souviens très bien. »

6 juin

Cette nuit, j'ai rêvé que j'étais couchée et que des gens prenaient des choses de mon intérieur. J'étais vidée.

J'essaie de vivre plus mes émotions. Je sais que c'est bien.

« Oui, il faut que je continue à plus exprimer mes émotions, comme ça je vais moins étouffer. Je ne veux pas faire une autre dépression. »

20 juin

L'école se termine demain. Je n'ai revu personne depuis le mois d'avril. Tout le monde me trouverait tellement plate si je les voyais. Au moins, la directrice a décidé que je pouvais aller en secondaire cinq avec mes amies l'année prochaine à cause de mes bonnes notes. Lola est toujours là elle. Guillaume, il m'a vraiment laissée. Le laisser tomber. Ma mère et Lola pensent que c'est la meilleure chose à faire, mais il me manque encore. J'ai mal. Papa…

1er août

C'est la première journée que j'ai ri depuis que je fais ma dépression. Je ne m'étais jamais rendu compte que je n'avais pas ri depuis quatre mois.

« Je vais toujours me souvenir de cette fois-là. »

On revenait de l'épicerie. Sophie transportait la douzaine d'œufs tranquillement pour ne rien casser. Elle s'est enfargée dans une tuile du trottoir. Sur les douze œufs, il n'en restait que cinq. Sophie était tellement fâchée qu'elle a pris un des œufs intacts et l'a lancé très fort par terre. J'ai décidé de faire la même chose. Ça a fait du bien. On a pris les trois derniers œufs, et on en a donné un à notre mère. On les a lancés en même temps. Je ne sais pas comment c'est arrivé, mais je me souviens d'avoir senti que ma bouche faisait un sourire. Je me suis mise à rire un tout petit peu. Sophie et ma mère ont arrêté de bouger et m'ont regardée. Puis, Sophie a lancé : « Justine, tu ris ! Maman, Maman, Justine a ri ! »

28 août

JE NE VEUX PLUS VOIR PERSONNE ! Ni elle ni ma mère. Je veux être seule. Je sais que c'est impoli que je me sois sauvée du bureau de la doc. Mais je veux être seule !

Je suis tellement fâchée ! J'avais toujours pensé que mon père était une sorte de héros, qu'il était mort parce qu'il avait combattu une grosse maladie ou à cause d'un accident en voulant sauver quelqu'un, ou je ne sais pas… Mais pas se suicider ! Il ne pouvait pas me faire ça ! Je viens de me battre moi pendant des mois. Pourquoi il nous a laissés tomber ? Je ne peux pas digérer ça.

Une grande nouvelle qu'elles m'avaient dite, la doc pis ma mère. Méchante nouvelle ! Ça sentait le malaise à plein nez ! Je le savais que ce ne serait pas une bonne nouvelle. C'est ma mère en plus qui me l'a annoncée. Je me souviens de ses paroles par cœur. Je ne vais jamais les oublier :

« Justine, je ne sais pas si tu t'en rappelles que Papa, avant de mourir, il était très triste et fatigué. Il a toujours eu des hauts et des bas. Mais dans ce temps-là, on ne savait pas qu'il était malade. Il souffrait tellement qu'il a décidé de mettre fin à sa vie. Il vous aimait beaucoup toi et Sophie. Mais c'était trop difficile pour lui de vivre. »

Trop difficile pour lui de vivre ! Et puis moi ? Ça n'a pas été trop difficile pour moi de vivre sans lui ? Et maman ?

Toute seule à écrire ces mots, je m'étais mise à pleurer très fort. Ma mère était tout de suite arrivée et m'avait prise dans ses bras. Ça faisait tellement longtemps que je m'étais sentie proche d'elle. Je lui en avais voulu parce que je trouvais qu'elle n'avait pas été assez forte depuis le départ de papa.

On était retournées dans le bureau de la docteure. C'est là que j'ai compris que mon père avait une maladie qui n'avait pas été traitée, au contraire de la mienne. Que c'était normal que, quand quelqu'un se suicide, on éprouve de la colère. Mais que j'allais vivre d'autres émotions et que, comme je suis quelqu'un de « résilient » – j'aime ça ce mot, – tout irait bien. Et la Doc avait eu raison.

Aujourd'hui, au terme de six mois de traitement, je sais, je sens que c'est une tout autre Justine qui entre à l'hôpital ! Mon ultime rencontre avec la D^re Laverdière.

Je pousse énergiquement la grande porte principale toute vitrée. Ma mère suit derrière.

CHAPITRE 5

La dernière visite

La porte du cabinet de la D^{re} Laverdière s'ouvre.

— Bonjour, Justine, tu peux venir. Madame Côté, j'aimerais aussi vous dire deux mots. S'il vous plaît, veuillez demeurer assise dans la salle d'attente, je suis à vous dans quelques minutes.

J'entre dans le bureau et vais m'asseoir sur le fauteuil moderne en cuir jaune que j'ai toujours trouvé très confortable. Après avoir refermé la porte, la docteure s'assoit devant moi, mon dossier médical sur les genoux. Après l'avoir consulté brièvement, elle enlève ses petites lunettes rose fuchsia.

— Alors, Justine, je suis contente de te revoir. Comment vas-tu ?

— Je vais très, très bien, docteure. J'ai fini mes pilules ce matin comme prévu. Je suis vraiment contente ! Il y a plein de choses que je veux faire maintenant. J'ai tellement d'énergie. C'est incroyable ! Je pense même que je vais peut-être avoir un nouveau chum bientôt. C'est le gars dont je vous avais parlé la dernière fois que je suis venue. J'ai finalement réussi à passer par-dessus Guillaume.

— Wow ! Tu as beaucoup de choses à dire. Tu sembles aller très bien en effet ! Je t'avais proposé de relire ton journal. J'espère que tu as trouvé l'exercice intéressant. Qu'est-ce qui s'est amélioré chez toi, si tu compares à comment tu te sentais durant ta dépression ?

Ça ne me prend pas de temps pour répondre :

— Aujourd'hui, je ne me sens plus déprimée ou fatiguée comme avant, il y a tellement de choses que j'aimerais faire ! Même si ça faisait trois mois que Guillaume m'avait laissée, je me sentais comme si je n'avais aucune valeur. Comme si même mes meilleures amies trouvaient que je n'étais pas intéressante, que je n'apportais rien de bien. Aujourd'hui, c'est le contraire, je trouve que j'ai de super bonnes idées à partager et que mes amies m'aiment, surtout Lola. J'étais un peu gênée avant, mais aujourd'hui, on dirait que je peux parler à tout le monde. J'ai vraiment confiance en moi.

— Je suis vraiment heureuse que tu ailles bien, Justine. Tous les symptômes de dépression que tu avais sont disparus. Tu as des projets, des inté-rêts, tu as manifestement du plaisir. Ça fait très longtemps que je t'ai vue pleurer. Si je compare à ta première visite, tu es alerte, énergique. Justine, tu es passée à travers ta dépression. Je pense que tu es guérie ! Je vais aller chercher ta mère.

La D^{re} Laverdière se lève et enfile ses lunettes avec douceur et précision, comme on s'applique au jeu de baguettes chinoises.

Je la regarde s'éloigner. Elle est calme. Elle est toujours comme ça. J'aimerais être calme comme elle. J'avais omis de lui dire que j'ai de la difficulté à dormir ces derniers temps alors que, durant ma dépression, je ne faisais que dormir. Je n'ai pas très faim non plus et il y a toujours des milliers de pensées dans ma tête. Je pense que c'est parce que maintenant j'ai vraiment beaucoup d'énergie après n'avoir presque rien fait pendant six mois. J'ai choisi de ne pas parler de tout ça à la docteure parce que je ne veux plus revenir ici. Je veux enfin avoir une vie normale comme tout le monde. Je sens que tout va rentrer dans l'ordre. Je suis capable de régler ça toute seule, pas besoin de ma psychiatre. Je vais recommencer à faire de la course et à manger santé. Je suis intelligente, résiliente, c'est elle qui n'arrête pas de le dire. Il faut juste que je me concentre encore quelques minutes, et puis à moi la liberté !

Ma mère s'installe sur la chaise à côté de moi. Pour l'une des rares fois, elle semble détendue et affiche un demi-sourire. Elle n'a été présente durant mes séances de thérapie que trois fois. Elle était là lors de mon admission à l'hôpital dont je ne me souviens pas vraiment. Tout était si flou, comme si j'étais enveloppée d'un gros nuage gris. Puis, il y a eu la séance au sujet de la mort de mon père que je garderais en mémoire, je le savais, pour le reste de ma vie. Cette troisième rencontre avec ma mère était à mille lieues des deux autres. Bien installée dans le fauteuil, je me sens réellement revivre. Je réussis à mettre de côté mes petits problèmes et apprécie pleinement ce beau moment. Tout me paraît plus clair, brillant même, comme si je voyais trop bien. J'entends chaque parole prononcée par la docteure comme les notes d'une flûte à bec, joyeuses et claires.

Le bureau embaume la lavande fraîche et le cuir du fauteuil est si doux. Ma peau est réchauffée par le soleil brillant qui traverse la fenêtre. Je parle beaucoup. Tant de temps à rattraper. Je ris beaucoup, fort. Ma mère sourit. La docteure, aussi. La vie est belle !

La Dre Laverdière se lève. C'est le signal.

– Justine, tu as fait du très bon travail. Ç'a été difficile : six mois de dépression. Tu as pris tes médicaments avec beaucoup de discipline et tu as toujours pris très au sérieux tes séances de thérapie. Tu as réussi à t'en sortir. Sans nommer ton nom bien sûr, je vais très certainement te citer en exemple auprès d'autres ados lorsqu'ils croiront ne pas être capables de s'en sortir.

La Dre Laverdière se tourne vers ma mère.

– Madame, je vous félicite pour votre fille. Vous pouvez être très fière d'elle. Et maintenant, c'est l'heure des au revoir, Justine.

Je suis heureuse, mais aussi émue à l'idée de quitter cette personne qui m'a soutenue et comprise tant de fois. Sans y penser, je me lève d'un bond de ma chaise et vais serrer la docteure dans mes bras.

– Justine, je veux que tu saches que si jamais tu avais besoin de mon aide, n'hésite pas à venir me voir.

Je souris une dernière fois à la docteure tout en me disant que non, je n'irai pas la voir ! Mon temps ici est fini. C'est une nouvelle vie qui commence, comme disait ma mère.

CHAPITRE 6

Écrire un livre

— Lola !

— Ju-ju !

Lola s'élance vers moi et me serre dans ses bras. Si on n'est pas du genre à se donner des accolades et des becs à chaque fois qu'on se voit, ce moment est digne d'être souligné. Relâchant notre étreinte, on se met à ricaner. La joie émane de nous deux.

Lola fourre sa main dans sa petite bourse violette. Elle en ressort son poing qu'elle place devant mes yeux et laisse éclore doucement. À l'intérieur s'y trouve un joli petit papillon de verre violet. L'éclat du soleil le fait briller.

— C'est ma petite surprise pour toi.

— Oooh ! Merci, Lola !

Je m'en saisis et le place directement devant le rayon du soleil. Il flamboie dans tous les sens.

— Comme il est beau !

Je regarde mon amie.

— Mais c'est moi qui aurais dû te faire un cadeau. Tu as été là tout le temps que j'ai été malade !

– Tu vas tellement bien maintenant. Je l'ai déjà mon cadeau !

On échange un regard, celui qui veut dire qu'on se comprend : les paupières un peu plissées, les yeux dans les yeux pour un fragment de seconde.

La cloche sonne.

Sans se presser, on avance dans le couloir en direction du laboratoire de chimie. J'aperçois Simon adossé nonchalamment au mur. Il me dévisage avec intensité. Le plus beau gars de l'école. Depuis combien de temps est-ce qu'il m'observe comme ça ? Je sens mon cœur qui s'accélère ; mes joues, rougir. Je lui souris. Il me rend mon sourire. Ses dents sont tellement blanches et toutes droites, lui qui n'a même pas eu de broches. Je ferme mes lèvres pour cacher mes dents. J'aurais besoin de broches, mais ma mère n'a pas les moyens de payer pour ça. Lola qui ne semble s'être aperçue de rien n'arrête pas de parler.

– Je peux te dire que t'as rien manqué à matin. Monsieur Bernier a encore passé le cours à réviser pour l'examen de math du ministère.

– Ah bon !

Je détache avec regret mon regard de Simon et le tourne vers Laurence. Je sais qu'elle n'aime pas Simon, car elle dit qu'il a une mauvaise réputation. Mais moi, je le trouve tellement beau et intelligent.

– L'examen est juste en juin. Est-ce qu'il pense vraiment qu'on va se souvenir de tout ça ? Y gaspille sa salive pas à peu près. Pis, pendant le cours de français, on a encore fait de la grammaire.

Les voies du slam

On n'aurait jamais dû voter pour la grammaire enrichie. C'est ben trop de travail ! Oh ! J'oubliais !

Lola s'arrête net de marcher. Elle sort une enveloppe bleu ciel de son sac à dos.

– Parlant du cours de français, monsieur Dallard voulait que je te remette ça le plus vite possible. Ché pas c'est quoi.

Je regarde l'enveloppe, exhibant un large sourire.

– J'me demande vraiment pourquoi il voulait te donner ça, le prof ! s'exclame Laurence qui visiblement aurait aimé savoir.

Mon sourire disparaît tout d'un coup. D'un geste rapide, je mets la lettre dans mon sac à dos en marmonnant que ce n'était pas de ses affaires et qu'on n'était plus des bébés pour avoir besoin de toujours tout se dire. Même si elle a l'air correcte, je vois bien que mon comportement la trouble, elle n'arrête pas de cligner des yeux. Pour éviter son regard, je me réfugie sur mon cellulaire. C'est vrai que d'habitude on se partage absolument tout. Mais bon, il va falloir qu'elle apprenne qu'à partir de maintenant c'est différent. S'il y a une chose que ma maladie m'a montré, c'est que je suis capable d'accomplir beaucoup et toute seule. C'est important l'indépendance. Je range mon cellulaire. J'entre dans la classe sans me retourner.

– Vite, Lola ! On va être en retard !

On entre juste à temps : Mme Lacasse allait fermer la porte. On court ranger notre sac et on enfile notre sarrau blanc. Je fais semblant de ne pas voir Lola qui visiblement a perdu tout son entrain. « Elle doit être un peu déçue. Mais j'ai le droit de vouloir garder des choses pour moi. Parfois, c'est une vraie mouche à marde ! »

De tous les souvenirs que je garde de mon père, celui qui m'habite le plus souvent est une image de celui-ci avec ses cheveux noirs, son front et ses yeux plissés, un livre à la main. Soit un livre de grands, sans image, écrit avec plein de petites lettres, soit un livre rempli d'illustrations entremêlées de mots enchanteurs, qui m'était destiné. Les livres avaient tout le temps fait partie de ma vie. Davantage depuis la mort de mon père. Ils me permettent de me sentir moins seule. Je n'ai jamais cessé de croire qu'en lisant je m'assurerais qu'il y aurait toujours quelqu'un, quelque part, qui me comprendrait. Comme le piano, avec les années, la littérature est devenue ma loyale compagne.

Mis à part Sophie qui, rageant devant la conjugaison des verbes irréguliers, a décidé que le français était « une longue course à obstacles ridicules pour faire pleurer les enfants », personne n'est surpris que ma matière préférée soit le français, et ce, depuis toujours. Je trouve même du plaisir à réviser mon livre de grammaire *Grevisse*, d'un couvert à l'autre. Si les innombrables exceptions me déconcertent, je demeure en perpétuelle admiration devant la beauté de cette langue.

De retour à la maison, alors que personne n'est encore rentré, j'ouvre la porte de ma chambre et la referme en prenant bien soin de la verrouiller. Je m'élance sur mon lit, heureuse de pouvoir être enfin seule. Je jette un coup d'oeil à mon cellulaire. J'aurais aimé que Simon m'écrive. Il faudrait d'abord qu'on s'échange nos numéros. Je vais lui demander durant le lunch, juste avant le cours de chimie. Je range mon cellulaire sur ma table de chevet. Je sors l'enveloppe de mon sac, m'allonge sur le dos et la contemple.

À Mlle Côté-Lapointe

Je raffole de l'écriture de M. Dallard. Sa calligraphie est différente de celle des autres professeurs, plus délicate et soignée. Il n'a pas non plus le même accent lorsqu'il parle. C'est le seul professeur qui m'appelle mademoiselle et qui me vouvoie. Le français est plus beau, plus romantique, plus français quand c'est lui qui le parle. Mon zèle pour l'apprentissage du français a atteint des sommets aux neiges éternelles depuis que M. Dallard est mon professeur de français. Chaque devoir représente pour moi une façon de lui démontrer combien je vénère cette langue. Je veux que mon orthographe soit parfaite, mes arguments, justes, ma compréhension des lectures, pointue. Depuis le début du mois d'août, je me sens bien comme jamais auparavant. C'est depuis ce temps que je me vois appelée à faire de grandes choses en littérature. Recevoir une enveloppe de M. Dallard allait de soi. Ça m'était presque dû. Je suis si brillante en français. M. Dallard m'a toujours dit que j'écrivais bien. Finalement, il va me le demander. Je tends l'enveloppe vers une personne imaginaire et me mets à parler à voix haute en imitant le parler de mon professeur : « Mlle Côté, je crois que ce serait une bonne idée de penser à un projet d'écriture qui soit en dehors du cadre scolaire. Vous avez beaucoup de potentiel. »

Je fixe mon regard de nouveau sur l'enveloppe. Écrire un livre. Il va me demander d'écrire un livre. Je vais être publiée, connue à Montréal, au Québec, en France, à travers le monde. Ou peut-être est-ce qu'il veut que je sois coauteur avec lui ? Ça ne me dérangerait pas. Comme il est un bon professeur, il doit bien écrire aussi, comme moi.

J'ouvre l'enveloppe. Il y a une feuille pliée en quatre qui semble être une publicité, ce que je mets aussitôt de côté. Ce qui m'intéresse, c'est le petit mot que mon prof m'a écrit à la main sur une carte agencée à l'enveloppe.

Bonjour Mlle Côté-Lapointe,

C'est avec un très grand plaisir que je me permets de vous communiquer cette annonce que j'ai lue et qui m'a tout de suite fait penser à vous. Je vous invite très fortement à participer à ce concours.

Un concours ? Je laisse tomber la carte et cherche la feuille de papier un peu partout sur mon lit. Rien. Ben voyons ! Où est-ce qu'elle est rendue ? Je parcours le plancher du regard tout autour de mon lit. Rien. Elle n'a quand même pas disparu ?

Je me couche sur mon ventre, agrippe le bord du matelas, glisse et plonge tête première vers le plancher, mon regard en direction du dessous de mon lit : des tas de poussière, des élastiques, deux bas, l'un court jaune et l'autre long rayé vert et mauve, une feuille pliée. Je m'étire le bras et manque de tomber du lit. Je me résous à descendre de mon lit et à ramper comme un serpent vers la feuille, la saisit et la déplie frénétiquement.

MétroNumb

présente

CONCOURS INTERNATIONAL
FRANCOPHONE DE SLAM

Édition jeunesse

Prestation des finalistes sur scène à Paris
Dévoilement du grand gagnant
Jury composé des membres de MétroNumb

Date limite de soumission des textes :
15 novembre à minuit

Je relis l'affiche trois fois. Me lève, récupère la lettre de mon professeur et continue ma lecture.

> *C'est un concours international de slam organisé par le groupe MétroNumb et qui est lancé auprès des jeunes francophones du monde entier. Je crois que vous êtes l'élève la plus douée de votre niveau pour participer à ce genre de compétition. En vous souhaitant beaucoup de plaisir dans ce grand jeu des mots et des rythmes dans lequel je sais que vous naviguerez avec aisance et talent.*

> *M. Pierre Dallard*
> *Français 4B*

Me voilà qui tourne en rond sans arrêt en suivant le contour ovale de mon petit tapis turquoise. « Je ne comprends pas ! C'est un livre que je veux écrire, entrer dans le monde de la littérature. Pourquoi me faire ça à moi ? MétroNumb ! Des révolutionnaires qui revendiquent en rimant. Ils ne font même pas de vraies chansons. M. Dallard aurait pu au moins me demander d'écrire de vraies chansons. Oh, ché pas ce que je vais faire. »

Je sors de ma chambre. Comme à chaque fois que je suis mécontente, je me défoule au piano. Je tente d'enfiler quelques gammes pour me réchauffer, mais j'ai besoin de plus que ça. Je suis furieuse. J'attaque toutes les pièces de mon examen de piano de neuvième année de juin passé que je connais sur le bout des doigts, mais en version « défoulée ». Toutes les nuances sont « fortes » variant du « f » au « fff » . Je plaque chaque accord avec vigueur en utilisant la puissance d'élan de mon dos jusque dans mes doigts. Ma rage s'entend partout dans l'appartement.

J'entends des coups de bâton au-dessus de ma tête. « Oh que non ! Elle ne va pas m'empêcher de jouer, la Chipie. On n'est même pas le soir ! »

Je sais très bien que ma mère a peur de la Chipie et que la dernière chose qu'elle a besoin c'est de recevoir des plaintes parce que je joue trop fort. La dernière fois, elle était tellement en colère qu'elle était descendue jusqu'à notre porte d'entrée et nous avait menacées de casser un carreau de la fenêtre si nous continuions de faire autant de vacarme. Elle ressemble à une sorcière, la Chipie, avec ses longs cheveux gris et noirs et son balai. Je crois même avoir aperçu qu'une de ses dents était si longue qu'on pouvait très bien la voir même si sa bouche était fermée. Parce qu'elle ne me fait pas peur, je décide de terminer *Les danses hongroises* de Bartók. Il ne m'en reste que deux. Les plus jubilatoires pour qui veut faire du bruit et bien se défouler ! L'accord final est dur, puissant. Il résonne encore, alors que je me lève net de mon banc. Je comprends ! M. Dallard veut me faire passer une épreuve. Lorsque je lui aurai montré que je suis douée pour les slams, il me présentera un projet digne de mon talent.

Je ne veux pas perdre une minute. Je m'assois à ma table de travail et écris les premières lignes de mon slam.

Cette nuit-là, je ne dors pas bien du tout. J'ai plusieurs rimes qui me viennent en tête, mais aussitôt que je m'assois dans mon lit et allume ma lampe pour les écrire, c'est comme si elles s'étaient enfuies dans un coin obscur de ma tête.

CHAPITRE 7

Ma grande générosité

— Fi-fi! Fi-fi! T'es où?

— Ici, Ju-ju! me crie Sophie de sa chambre.

Je termine d'empiler avec précaution les napperons et quitte la cuisine suivant le corridor sans faire de bruit jusqu'à la chambre de Sophie. Je m'élance derrière elle en lui masquant les yeux de mes mains. Sophie se démène, mais en vain.

— Arrête de rouspéter et laisse-moi te guider.

Aveuglée, Sophie avance d'un pas hésitant dans le corridor.

— Où est-ce que...

— Arrête de poser des questions. Tu vas voir!

Une fois que nous sommes arrivées au salon, je retire mes mains. Sophie regarde devant elle, immobile, interloquée. Je suis impatiente.

— T'es pas contente?

Sophie se tourne lentement vers moi et me dévisage.

— Justine, niaise-moi pas. Tu le sais que c'est ce que je veux le plus au monde, mais que maman a toujours dit que c'était trop cher. Si tu fais ça pour encore m'écoeurer, je vais vraiment pas trouver ça drôle !

Je me penche et prends la boîte blanche toute neuve dans laquelle se trouve une tablette et la tend à Sophie.

— Fi-fi, je te jure que je n'essaie pas de te faire une farce. Je l'ai vraiment achetée pour toi. Je trouve que t'es une bonne sœur. Je veux dire, surtout pendant ma dépression.

Fi-fi me regarde d'un air incrédule, puis ému. Trouvant que la situation devenait un peu trop mélodramatique, je m'empresse d'ajouter :

— T'es une bonne sœur, quelquefois en tout cas. Y faut pas exagérer.

Fifi laisse tomber la boîte sur le fauteuil et m'enlace.

— Merci, Justine ! T'es la meilleure sœur au monde !

Je m'empresse de me dégager de son étreinte et j'enchaîne d'un ton renfrogné :

— Bon. C'est assez. On va commencer par charger la tablette, pis après tu pourras y installer des jeux.

* *
*

Quelques heures plus tard, j'entends le bruit de la porte d'entrée qui s'ouvre et se referme. Je bondis de mon fauteuil dans l'excitation de voir ma mère. Elle entre dans le salon et remarque aussitôt Sophie qui est en train de jouer avec la tablette. Stupéfaite, elle échappe son sac de commissions pour le souper.

— Maman! C'est moi qui l'ai donnée à Fi-fi! C'est une bonne idée, hein! Elle voulait tellement en avoir une.

— Mais…..

Sophie se retourne et regarde ma mère.

— Maman! T'as vu comme chus bonne?

Sophie a les yeux encore plus brillants qu'à l'habitude, comme si les reflets blancs et bleus de l'écran avaient pénétré dans son iris, contrastant avec le noir dans lequel est plongée la pièce.

— Mais….

— Maman! Il n'y a pas de mais. J'ai fait plaisir à Sophie, pis est contente. C'est ça que tu veux, deux sœurs qui s'entendent bien?

Ma mère semble vouloir prononcer une parole, mais à chaque fois qu'elle ouvre la bouche, elle la referme aussitôt. Elle se gratte nerveusement la tête, me regarde et jette un coup d'œil à Sophie qui tente de sauver une famille de bonhommes bleus de la lave d'un volcan en éruption.

Je me sens très contrariée que ma mère ne reconnaisse pas ma grande générosité envers ma sœur. Je sens que je suis sur le point de me fâcher. Prenant une grande respiration, je me penche pour aider ma mère à ramasser son épicerie. Je cherche à tout prix à contenir mon irritation, car je ne veux pas tout gâcher.

En essayant d'adopter un ton plus désinvolte, je lui demande de venir avec moi. J'empoigne sa main et l'entraîne jusque dans la cuisine.

— Mais, Justine.

Je la fusille du regard.

— Maman. Arrête.

Serrant mon poing libre, je prends à nouveau une grande respiration. Je ne veux absolument pas perdre mon calme, pas en ce moment, ça m'est arrivé trop souvent ces derniers jours.

— Assois-toi, ferme les yeux et ne bouge pas.

Je soulève la pile de napperons et en ressors une petite boîte rouge.

— Donne-moi tes mains. Ne regarde pas.

Je place l'écrin au creux de ses mains.

— Devine !

Ma mère tourne l'objet dans ses mains, doucement.

— C'est une petite boîte. En velours !

Les yeux toujours clos, ma mère sourit. Un sourire qu'elle déploie seulement lorsqu'elle oublie ses tracas.

Je me sens triomphante.

— Ouvre les yeux !

Ma mère ouvre les yeux et son sourire fond. Je sens mon cœur qui commence à paniquer un tout petit peu.

— Qu'est-ce que t'attends ? Regarde ce qu'il y a dans la boîte !

Ma mère ouvre délicatement la boîte. À l'intérieur se trouve une bague tout en or blanc avec sur le dessus un gros losange en cristal bleu foncé. Magnifique.

— C'est la bague que tu m'avais montrée au centre d'achat la semaine passée. Tu disais que tu rêvais d'en avoir une comme celle-là !

— C'est vrai qu'elle est belle, Justine.

— Ben, mets-la !

— Je ne peux pas l'enfiler, Justine.

— Mais pourquoi ?

Je me sens à la fois déçue et vexée. Mon cœur se serre très fort. Je me retiens pour ne pas pleurer de tristesse ou de rage. Je ne sais pas.

– Justine, ça me fait vraiment très plaisir que tu veuilles nous faire des cadeaux. C'est très généreux de ta part. Mais où as-tu trouvé l'argent ? Ce bijou, il coûte 850 $ et la tablette, au moins 500 $, peut-être même plus.

– Je suis allée voir grand-maman et grand-papa. J'ai réussi à les convaincre de me donner une partie des épargnes pour mes études universitaires. Je ne leur ai pas dit exactement ce que j'allais faire, mais je leur ai demandé de me faire confiance, que c'était vraiment pour une bonne cause. Tu m'as toujours dit que, si c'était pour une bonne cause, je pouvais peut-être en retirer un peu à l'avance. C'est vrai que tu avais dit ça. Je m'en souviens.

J'ai prononcé ces derniers mots avec colère. Toute ma peine était disparue.

– Justine, calme-toi. Je vois que tu es très déçue. Mais je ne suis pas sûre de bien te suivre. Tu le sais que de faire des cadeaux aussi dispendieux, ce n'est pas une bonne cause. Tu n'as jamais fait ça avant. Pourquoi aujourd'hui ?

– Parce qu'un mois après avoir terminé ma dépression, je voulais vous remercier. Je voulais faire ça parce que je ne me suis jamais sentie aussi bien, aussi pleine d'énergie, de projets. On voit que tu t'en fous de mes remerciements.

Je me sens exaspérée et fixe ma mère droit dans le fond des yeux.

– Tu sais c'est quoi ton problème ? T'as toujours peur. Peur de ne pas avoir assez d'argent, peur de ne pas être capable de t'en sortir toute seule. Peur ! Peur ! Peur ! Eh bien, moi, je ne suis pas comme toi ! Je ne suis pas une personne ordinaire. Je n'ai besoin de personne et surtout pas de toi.

Je me dirige dans ma chambre et claque la porte. Je m'élance sur mon lit. Apercevant mon coussin rose, je le lance avec force sur le cadre contenant la photo de ma mère et de ma sœur. Puis, j'empoigne mon ours en peluche et l'utilise comme projectile pour faire tomber la photo de mon père. Tous mes toutous, oreillers et coussins, je les lance les uns après les autres avec rage, jusqu'à ce qu'il n'y ait plus rien sur mon lit.

« Pourquoi est-ce que tous les gens qui m'entourent sont tous nés pour un petit pain ? Tout le monde : papa, maman, Sophie, Lola, Guillaume, mon prof de piano et même mon prof de français avec son histoire ridicule de slam... Tout ce qu'ils veulent c'est de me mettre des bâtons dans les roues, de me ralentir. Il reste juste Simon. »

Je regarde la photo de Simon et moi sur mon cellulaire. Il me tient dans ses bras. On voit un peu ma brassière, car il avait déboutonné plusieurs boutons de ma chemise avant qu'on prenne la photo. Il m'avait dit qu'il aimait les filles sexy et ça tombait bien. Je ne m'étais jamais sentie aussi sexy qu'avec Simon. On va tellement bien ensemble ! Il est tellement beau !

Je relis pour la millième fois son texto.

> **SIMON**
>
> Justine,
> Oui, c'est vrai j'ai peut-être eu plusieurs blondes avant toi mais je te jure que tu es de loin la plus belle et la plus intelligente. C'est sérieux toi et moi. J'ai hâte de t'amener à mon chalet.
>
> 12:46

« C'est sérieux toi et moi. » Je n'ai jamais autant aimé un gars. Et lui aussi, il m'aime. C'est le bon. Je le sais. Je le sens.

CHAPITRE 8

Regardez-moi, je suis heureuse!

Je tourne le coin pour aboutir sur l'avenue Papineau. Moins de dix mètres et je serai arrivée au Tim Hortons. Le café se situe exactement à mi-chemin entre ma maison et celle de Lola. Mes écouteurs sur les oreilles, l'entraînante chanson *Rien ne sert de courir* de Karim Ouellet commence. Je monte le volume au maximum. Une envie me prend de me mettre à gambader haut et vite comme lorsque j'étais enfant. J'exhibe un large sourire. Je sens que tout le monde me regarde tout en admirant mon immense joie de vivre. Une foule de pensées me viennent en tête.

« Regardez-moi! Je suis heureuse! Je ne me suis jamais sentie aussi vivante, aussi sûre de moi! Je veux faire plein de choses! Que ça aille vite! Tout est tellement au ralenti autour de moi! »

Je m'arrête net à la porte du café. À travers la vitre, j'aperçois Lola en train de texter sur son cellulaire. Comme un grand coup de vent, je pousse la porte avec force et entre précipitamment. La senteur de café pénètre mes narines, trois fois plus puissante qu'à l'habitude. Je déboutonne mon large imperméable turquoise. Puis, les mains dans les poches, les bras tendus, pareille à une chauve-souris, je me laisse flotter de table en table, évitant de justesse, mais avec précision, les cafés des clients qui me regardent d'un air mi-contrarié, mi-surpris. Faisant mine de ne pas m'apercevoir de toute l'attention que j'attire, j'atterris sur le siège en face de Laurence. Celle-ci me dévisage, me fait signe d'enlever mes écouteurs. Elle ne dit rien.

J'ouvre mon sac à dos rempli de vêtements. J'en ressors un livre que je dépose avec fracas sur la table.

— C'était bon! J'ai beaucoup aimé le personnage de la fille.

— Quelle fille? m'interroge Lola avec intérêt.

— Tu sais, la fille qui a les cheveux mauves, la fille qui est super intelligente.

— Euh…

— Voyons! La fille du chef.

— Je vois pas.

— Ben oui, franchement, Lola, celle qui résout le problème!

— Relaxe, Justine. C'est juste un livre.

Un court silence plane. Lola semble loin dans ses pensées. Je suis frustrée que ma meilleure amie ne soit pas plus rapide pour se souvenir du personnage dont je parle.

— Ju-ju, est-ce que tu parles de Janawic?

— Oui! C'est ça! Enfin!

— Elle n'a pas les cheveux mauves, mais rouges. C'est ça qui m'a mêlée!

— Si t'es pour me dire que c'est de ma faute si ça t'a pris autant de temps à comprendre ce que je voulais dire…

— T'es ben agressive, Justine! Depuis ton dernier rendez-vous chez la psychiatre, tu pognes les nerfs avec un rien! C'est comme si tout était la fin du monde! Relaxe!

Je jette un regard mauvais à Lola.

« Peut-être que je suis sur les nerfs, mais au moins je ne passe pas mes journées et mes nuits à perdre mon temps. »

— Aurais-tu encore un autre livre à me prêter? J'aime ça lire la nuit. Les livres à la biblio de l'école sont tellement bébé ou bien je les ai déjà lus.

— Tu ne réussis pas encore à dormir la nuit?

— Oui, je dors quatre-cinq heures. Je te l'ai déjà dit, depuis la fin de ma dépression, j'ai tellement d'énergie que je n'ai pas besoin de dormir plus que ça.

— Quatre-cinq heures!

Lola me regarde avec son air de mère exaspérée qui va me faire la leçon.

Je m'agite sur mon siège et ouvre la bouche. Mais elle ne me laisse pas le temps de parler.

— Je ne veux surtout pas qu'on recommence à se disputer, alors on change de sujet... Pour d'autres livres, tu devrais peut-être aller...

Alors que Lola parle, je me lève et enlève mon manteau.

— à la bibliothèque municip...

Le regard de Lola se fige. Ses yeux semblent vouloir sortir de leur antre.

Je m'énerve.

— Regarde-moi pas comme ça, Lola!

— T'es-tu vu l'allure? J'me suis retenue quand t'es arrivée, mais là, tu dépasses les bornes. Premièrement, je pense que c'est la première fois de ma vie que je te vois les cheveux lousses, à part la fois où on a eu notre graduation du primaire, pis que tu m'avais dit que c'était ta mère qui t'avait obligée.

— Avoue que ça me fait bien !

Je suis toujours debout, le menton haut, passant délicatement ma main dans la mèche bleue de mes cheveux.

— Ça te fait bien. Ce n'est pas ça le problème. C'est tout le reste ! Assis-toi.

Je m'exécute rapidement, trop curieuse de savoir ce que Lola veut me dire.

— T'es ben trop maquillée ! Tu t'es beurré les yeux de mascara ! Ton rouge à lèvres est plus rouge que le costume du Père Noël. Pis ta chemise. Depuis quand tu portes des chemises aussi transparentes, pis c'est quoi cette nouvelle brassière ?

Lola a commencé sa phrase en chuchotant, mais n'a pu s'empêcher de hausser le ton, échappant le mot « brassière » beaucoup plus fort qu'elle ne l'avait voulu. Comme pour effacer son erreur, elle couvre sa bouche de ses mains.

— Voyons, Lola, relaxe, que je lui affirme avec assurance. Tu devrais faire comme moi ! Te libérer ! Avant ma dépression, j'étais quelqu'un d'effacé, de triste. Maintenant, je trouve que la vie est plus belle que la réalité. Tout est plus coloré, plus brillant. J'ai confiance en moi comme jamais ! C'est fini la petite Justine bien polie et sage. La Justine que tu as devant toi, c'est la vraie ! Celle qui vit, enfin ! Pas celle qui était accrochée à ce trop sérieux, trop gentil, trop parfait de Guillaume. Non ! Je suis quelqu'un qui mord dans la vie, qui va accomplir de grandes choses. Regarde-moi ben aller ! Mon nouveau style convient à ma nouvelle vie qui va exactement avec celle de Simon. Lui, il n'a peur de personne, pas même des profs. Il sait comment profiter de la vie. Aussitôt ses études terminées, il sait exactement ce qu'il veut faire.

— Travailler pour la riche compagnie de son père, ajoute Lola d'un ton sarcastique.

— Exactement !

Plusieurs clients du café me jettent des regards. Certains me font même signe de parler moins fort, mais dans le fond, je sais bien qu'ils me trouvent intéressante. Je sais bien m'exprimer. Mon énergie ne peut qu'être contagieuse !

— Justine. Ces temps-ci, je sais pas pourquoi, mais tu pognes les nerfs quand je te dis ce que je pense et que tu n'es pas d'accord. T'aimes pas ça non plus quand je radote. Mais encore une fois, t'arriveras pas à me faire croire que Simon c'est un bon gars, que c'est le gars pour toi.

— Laurence…

— Non ! Justine, ça fait une semaine que tu n'arrêtes pas de me parler de lui, que tu n'arrêtes pas de parler tout court. Là, c'est à mon tour. Les filles de l'école veulent sortir avec Simon parce qu'il est beau et que son père a de l'argent. Depuis quand est-ce que tu te fies à l'apparence et à l'argent ? J'te reconnais pas, Justine. C'est certain que dans deux, trois semaines, il t'aura déjà oubliée. J'te le dis, Justine, j'te reconnais plus ! T'es la dernière fille, j'pensais, qui voudrait sortir avec Simon. Ché pas ce qu'il te dit, mais j'peux te garantir qui t'aime pas vraiment.

Je suis hors de moi. D'un effort surhumain, je réussis à me contenir et m'oblige à fixer ma tasse de café. « Comment est-ce que mon amie peut ne pas me comprendre! Il faut que je me retienne, sinon je vais exploser. Comment est-ce qu'elle peut refuser d'accepter que je puisse vivre un réel bonheur? C'est vrai que Simon en a trompé plus d'une, mais moi, c'est différent. Je le sais, je le sens. » En pensant à tout l'amour que Simon a pour moi, je réussis à me calmer un peu.

— Laurence, c'est à ton tour d'arrêter de parler en mal de Simon. T'as compris? Sinon, je m'en vais. Je sais très bien ce que je fais et je ne me suis jamais sentie aussi sûre de moi! Je voulais te demander ton aide ce soir, mais il semble que tu n'es plus vraiment ma meilleure amie. C'est trop tard, Laurence. Je suis la blonde de Simon que tu le veuilles ou non. On s'est embrassés déjà plusieurs fois. C'est physique. Tu ne peux pas comprendre ça. C'était pas pire avec Guillaume. Mais là, avec Simon, c'est indescriptible. Ce soir, les parents de Simon sont partis pour leur chalet dans le nord de Montréal et il m'a invitée à passer la nuit chez lui. J'ai dit à ma mère que je passais la nuit chez toi. C'est ça que je voulais demander à ma meilleure amie, que tu me couvres pour une nuit seulement, ma première nuit d'amour.

Je soupire d'irritation. Lola commence à parler d'une voix à la fois résignée et empreinte de douceur, ce qui me surprend.

— Ju-ju, je ne peux pas t'attacher pour t'empêcher de faire une connerie. Je veux te dire que je préfère de beaucoup la Justine que j'ai toujours connue que celle qui est devant moi ce soir. Je préfère même la Ju-Ju de durant ta dépression que la nouvelle Justine. Tu dis avoir confiance en toi. Si c'est de te penser supérieure à tout le monde, si c'est de n'avoir aucun intérêt, sinon que d'être avec Simon et de t'emporter pour avoir raison à tout prix avec tous les gens autour de toi, eh bien je ne suis pas certaine que nous ayons suffisamment d'atomes crochus pour être amies, du moins, pour le moment, ou sinon plus pour très longtemps.

CHAPITRE 9

Tous contre moi

Je pose mes deux pieds bien à plat sur le coffre à gant de la voiture et recule le dossier de mon siège vers l'arrière. Voilà ! Ma position la plus confortable pour les longs voyages. Mon changement de posture n'a pas diminué d'un cran le flot de mes paroles. Après un discours enflammé au sujet de la relation entre la qualité de l'enseignement et le niveau d'humour pour chacun de mes professeurs, j'enchaîne avec une énumération détaillée de tous les passages du film *Le fabuleux destin d'Amélie Poulain* qui m'ont émue.

Simon m'écoute tellement bien.

Sans reprendre mon souffle, je me mets à décrire tous les nouveaux vêtements que je viens de m'acheter. Je ne mentionne pas l'endroit où je les ai dénichés, bien entendu. Je n'ose pas regarder en direction de Simon. Je fixe la route droit devant moi. J'ai beau essayer de parler de n'importe quoi, ce qui me hante, c'est la nuit que je vais passer avec lui. C'est tellement excitant !

La voiture s'engage dans un long chemin boisé.

– On arrive bientôt ?

— On est presque arrivés.

Bien que l'obscurité soit tombée depuis belle lurette, je devine au fond de la route une habitation.

— Est-ce que c'est ton chalet que je vois là-bas ?

— Oui. C'est ça.

Je suis bouche bée.

— Wow ! Simon, c'est pas un chalet ! C'est un château ! C'est tellement gros !

Simon laisse échapper un petit rire.

— Pourquoi tu ris comme ça ?

— Je m'd'mandais quand est-ce que t'allais dire quelque chose comme ça. Toutes les filles que j'ai amenées ici, elles ont toutes eu la même réaction ! Je trouve juste ça drôle.

— T'en as amené beaucoup de filles ici, Simon ?

— Quelques-unes.

Je me tais. Depuis les deux heures que nous sommes dans la voiture, c'est la première fois.

— Justine.

Je tourne la tête. Il me regarde droit dans les yeux.

— Tu es la seule qui y passera la nuit.

Les yeux de Simon fixent à nouveau la route. Sa main droite s'est frayé un chemin sous ma chevelure qu'il caresse, effleurant ma nuque.

Simon tient la porte et me fait signe d'entrer. Je pénètre dans une très grande pièce. Je reconnais tout de suite une odeur de pot-pourri d'oranges que j'aime tant, comme chez mes autres grands-parents. J'entends un bruit d'eau en mouvement. Une rivière derrière le chalet sans doute, cachée dans toute cette nuit.

Une lueur brillante attire mon regard. Au plafond, de larges luminaires sont suspendus, comme d'anciens candélabres aux multiples chandelles. Je ne suis jamais allée nulle part d'aussi chic!

Je jette un coup d'œil un peu partout dans la pièce. Des divans en cuir. Ça fait tellement riche! Un grand tapis de laine beige, orné de fioritures rouges et turquoise, comme les tapis afghans dispendieux du magasin sur la rue Saint-Denis. Et derrière le divan, caché à demi par un grand palmier, repose un piano à queue. Je n'ai jamais joué sur un piano à queue.

– Ooooooh!

Je me précipite jusqu'au piano. Le regarde, en fait le tour. Un vrai piano à queue! Et il est ouvert! On dirait que je rêve. J'ai trop hâte de l'essayer. Puis un vrai banc de piano, noir, en cuir, avec une roulette pour régler la hauteur. Comme dans les grands concerts!

Sans prendre le temps d'ajuster le banc, je m'assois et ouvre le couvercle. Le clavier apparaît. Subjuguée par le contraste entre l'immaculé des touches blanches et le luisant des touches noires, je les caresse du bout des doigts. Une grande respiration pour bien me concentrer, puis j'entame mon étude de Czerny. Mes gestes sont excessifs. Je veux en mettre plein la vue, copiant des pianistes sur YouTube. La qualité de ma performance n'est pas compromise pour autant. La série de gammes s'enchaîne en montée et en descente à une vitesse infernale. Je suis sûre que Simon n'a jamais vu quelqu'un jouer du piano aussi bien. Il voulait m'impressionner avec son chalet. C'est à mon tour de….

Je sens quelque chose de chaud et d'humide dans mon cou. Je ne sais plus du tout où je suis rendue dans ma pièce. Je me fige. Comment ose-t-il m'interrompre ?

Je fais des efforts surhumains pour contrôler l'agressivité que je sens monter en moi. Mes mâchoires se contractent. Mon visage, mon dos, mes bras, mes mains toujours sur le clavier se raidissent. Il n'a aucun respect pour la vraie musique !

Simon relève mes cheveux.

« Ma meilleure performance à vie ! »

Je m'arrête de jouer, demeure immobile. Les lèvres de Simon remontent le long de mon cou en façonnant un S. Je frémis. Mes pieds, mes jambes, puis tout mon corps s'amollissent alors qu'un courant vif traverse mon cerveau. Les lèvres se sont nichées dans le lobe de mon oreille.

Je ne suis plus capable. Je vais exploser. Je me tourne vers Simon, d'un air suppliant.

– Simon, je veux le faire ici, tout de suite. Je suis prête.

Je fixe les yeux de Simon. Je sais que mon regard brillant et limpide ne peut lui résister. Simon esquisse un léger sourire et me prend dans ses bras en me transportant. Il me couche par terre sur le tapis. Sans me regarder, il se met à m'embrasser avec emportement. Je réponds à ses baisers, puis rapidement je réussis à inverser la cadence. C'est moi qui l'embrasse, qui contrôle le rythme sauvage des échanges.

Simon agrippe ma chemise et la déboutonne. Avant qu'il n'ait pu saisir mon soutien-gorge, j'empoigne le gilet de Simon afin qu'il se dévête à son tour.

Tûtûtû Tûtûtû Tûtûtû.

– C'est quoi ce bruit-là ?

— C'est rien, juste un klaxon, répond Simon en dirigeant sa main une fois de plus en direction de ma brassière.

Tûtûtû Tûtûtû Tûtûtû.

Je me raidis.

— Mais le bruit se rapproche.

— Bon. J'vais aller voir. Inquiète-toi pas.

Simon se dirige vers la porte d'entrée. Je le suis. Lorsqu'il ouvre la porte, je suis aveuglée par la lumière éblouissante des phares d'une voiture. Voulant à tout prix cacher mon soutien-gorge, je tente de me dissimuler complètement derrière Simon. C'est alors que je distingue les contours de la voiture. C'est la vieille Toyota de ma mère ! J'échappe un petit cri.

La porte côté chauffeur s'ouvre. Ma mère en sort. Les cheveux en bataille, les yeux exorbités. Je n'ai jamais vu ma mère dans cet état. Je crois même apercevoir un peu de liquide sortir de sa bouche. «Wow. Je l'ai déjà vue péter sa coche, mais là, ça va être à la puissance 10 ! »

Ma mère se dirige droit sur Simon et se penche vers lui comme s'il était un petit garçon de quatre ans.

— Toi, tu t'en vas, loin, dans un coin, là-bas, réfléchir à la bêtise que tu t'apprêtais à faire avec MA fille !

Apeuré, Simon s'éloigne aussitôt, quasi au pas de course. Il a l'air d'un écureuil apeuré, non, d'une petite souris.

Ma mère se tourne vers moi. Elle fixe mon soutien-gorge, puis me regarde d'un œil noir. J'ai presque peur. C'est moi la souris.

— Pis toi, Justine, tu prends tes cliques pis tes claques, pis tu t'en viens tout de suite dans l'auto où je t'attends. Pis fais ben attention, ta sœur est là.

Le chemin du retour se fait dans un silence tendu, hormis Sophie qui demande toutes les cinq minutes :

— Quand est-ce qu'on arrive ? C'est trop long. J'sus tannée !

Alors que je n'ai pas entendu de plaintes depuis un moment, je tourne la tête à l'arrière et constate que ma sœur dort. Elle a l'air bien. J'aimerais ça être à sa place.

Le mouvement de l'auto commence à me donner l'envie de somnoler, conjugué au mutisme de ma mère… Pourtant, je lutte pour ne pas m'endormir. On dirait que la route rétrécit.

Je me vois dans les bras de Simon. Ma mère, déguisée en sorcière, est au-dessus de nous. Elle m'envoie de mauvais sorts. Je me concentre sur le regard de Simon afin qu'il ne me laisse pas tomber. Mais il m'échappe.

Je sursaute. L'auto s'est immobilisée. La maison. Je sens la main de ma mère qui secoue mon épaule.

— Justine, va te coucher. On va se parler demain.

Sa voix me semble venir de très loin. Elle a l'air moins fâchée que tout à l'heure.

Je ferme la porte de ma chambre en bâillant. Je m'étire et, au bout de quelques minutes, je me sens complètement réveillée, fébrile même. Je vais me placer devant ma fenêtre et regarde dehors. Tout est tranquille, sauf pour ma mère qui semble être en train de parler au téléphone.

— Au revoir, madame Lemieux. Merci.

Je ne connais pas de Mme Lemieux. « Ça doit être pour son travail. Mais il est tard. Bof, je m'en fous pas mal. En plus, ça a peut-être fait un peu oublier à ma mère ce qui vient de se passer. Je crois vraiment que le pire est passé. Ça ne devrait pas être plus mal demain. »

J'aperçois alors deux amoureux qui déambulent sur le trottoir. Ils s'arrêtent juste sous ma fenêtre. Je m'étire le cou pour mieux les voir. Ils s'embrassent et passent un long moment à se contempler l'un l'autre. Ils s'éloignent. J'émets un soupir.

« Dire que j'allais passer ma première nuit d'amour. Dans les bras de Simon en plus. Puis, elles sont venues tout foutre ça en l'air. Lola qui le dit à ma mère et ma mère qui vient me chercher comme si j'étais une petite fille. Quel gâchis ! J'aurai l'air de quoi maintenant devant Simon ? Il va me rire en pleine face ! »

Je bouillonne. Les poings serrés, je sens mes ongles qui entrent dans ma peau. Je me force pour ne pas crier.

« Pour qui elles se prennent ? De quoi elles se mêlent ? J'ai seize ans ! J'ai le droit de choisir ce que je fais et avec qui je le fais ! »

Une grosse boule dans le bas de mon ventre monte. Je vais éclater de colère, d'une violence que je n'arriverai pas à contenir.

Je me précipite sur mon lit et cache mon visage dans l'oreiller pour crier. Ce sont plutôt des hurlements étouffés qui sortent, qui font beaucoup de bruit de l'intérieur. Je me mets à frapper avec mes poings dans l'oreiller.

Les voies du slam

Essoufflée, je me sens plus calme, mais encore si frustrée. Je m'assois sur ma chaise de travail. Ma tête dans les mains.

Je ne sais pas ce que je vais faire pour arriver à passer la nuit.

Comme je le fais si souvent, j'enfile mes écouteurs. Je mets mes pieds sur mon bureau tout en sélectionnant la liste que je me suis faite de mes dix meilleures chansons populaires. Après la cinquième chanson où le chanteur entonne avec passion son refrain « Je t'aime, oui je t'aime, plus que tout au monde », j'arrache mes écouteurs.

« Toutes ces chansons qui ne parlent que d'amour. C'est juste de la marde ! »

Mon cellulaire indique 1:21.

La nuit va être longue.

Je me lève, puis me rassois à l'envers sur ma chaise, mes livres bien en vue. Mon regard s'arrête sur la série complète de bandes dessinées de Tintin, un héritage de mon père.

Ça, ça va me changer les idées.

Cinq bandes dessinées plus tard à la traîne par terre, je décide de m'étendre sur mon lit pour essayer de dormir.

Je me tourne et me retourne.

5:05

Je me mets à fixer le plafond. À l'idée que je devrai parler avec ma mère sous peu, je me sens agitée.

« Je pense que je ne serai jamais capable de lui pardonner ça ! Ni à Lola ! J'ai réussi à séduire le plus beau gars de l'école. Puis là, tout est détruit. Elles ont tout gâché. »

Je me lève. Je sais que je serai incapable de fermer l'œil de la nuit. « Que faire durant les dernières heures de ma nuit blanche ? »

Alors que je range mes livres, j'aperçois l'annonce du concours de slam que j'ai laissé traîner.

« Puffff. S'il pensait que j'allais m'abaisser à ce niveau d'art. Il m'a sous-évaluée, c'est clair. »

Je saisis tout de même l'annonce dans mes mains.

« Comme j'ai au moins un bon deux heures à perdre, je vais lui écrire, tiens, son slam à la con. »

Mon cellulaire sonne. 7:00. Je m'empresse d'interrompre la sonnerie.

Même si j'ai oublié de l'arrêter pour la fin de semaine, ce n'est pas ce matin qu'elle m'aurait réveillée.

Le soleil est bien levé. L'écriture de mon slam est en pleine effervescence. Je le trouve bon. Non, excellent ! Je révise une dernière fois pour les fautes d'orthographe. Satisfaite, je plie la feuille sur laquelle se trouve mon slam et l'insère dans une enveloppe que j'adresse à :

M. Pierre Dallard
Français 4B

« M. Dallard va être encore très fier de moi ! Je suis sûre que je vais gagner le concours ! Hum ! Ça sent bon les crêpes et le café. J'ai vraiment faim ! »

Alors que je sors de ma chambre, je vois défiler ma mère au pas de course, vêtue et coiffée comme si elle partait travailler.

Il est 8:00 pile.

CHAPITRE 10

Pourquoi moi ?

« Qu'est-ce qui se passe ce matin ? On est samedi ! »

Je me dirige vers l'entrée sur la pointe des pieds, puis me cache derrière le mur du salon. Ma mère ouvre la porte, ce qui m'empêche de bien distinguer la personne qui arrive.

Je crois distinguer des cheveux longs et un grand gilet noir avec des couleurs dessus. Elle ne me fait penser à personne.

— Maman ?

Ma mère est absorbée dans sa conversation.

— Maman !

Elle se retourne d'un bond.

— Ah ! Justine ! Je ne savais pas que tu étais déjà levée.

« On dirait que je lui ai presque fait peur, qu'elle est mal à l'aise ! C'est quoi cette mascarade ? »

— Justine, je voudrais te présenter madame Julie Lemieux. C'est une travailleuse sociale de l'AQPAMM.

— L'AQPAMM ?

— L'Association québécoise des parents et amis de personnes atteintes de maladie mentale.

Ça fait plusieurs années que l'on se connaît, ta mère et moi.

Je ne comprends pas ce qu'elle vient faire ici.

– Salut, Justine ! Je suis contente de finalement faire ta connaissance ! Tu dois te demander ce que je fais ici.

« À qui le dites-vous ! » Je réussis à esquisser un léger sourire.

– Ta mère m'a appelée hier soir.

« Oh ! C'est elle la madame Lemieux ! »

Je ne me sens pas bien. Je n'aime pas ça du tout.

– Je ne comprends pas.

Ma mère tente de me regarder dans les yeux.

– Justine, avant que ton père meure, il faisait une grande dépression. Je ne savais pas quoi faire, c'est alors que j'ai rencontré madame Lemieux. Lorsque tu as fait ta dépression, je suis entrée de nouveau en contact avec elle. C'est elle qui m'a suggéré qu'on aille rencontrer la docteure Laverdière.

– Oui, mais là, je ne suis plus malade ? Pourquoi êtes-vous ici ?

Ma mère baisse les yeux. Je déteste cette situation.

– Je comprends tout à fait ta réaction, Justine. Et si on s'assoyait ?

– Oh oui ! Excusez-moi. J'allais justement vous le proposer. Est-ce que le salon vous irait ?

– C'est parfait !

Mme Lemieux prend place sur le divan. Je choisis le fauteuil.

Ma mère demeure debout, se dandinant d'une jambe à l'autre.

– J'aimerais beaucoup un verre d'eau.

– Ah oui! Un verre d'eau! J'y vais.

Ma mère sort du salon précipitamment et s'enfuit vers la cuisine.

« Qu'est-ce qui se passe avec elle? »

Mme Lemieux se tourne vers moi.

– Justine, je sais que tu te demandes ce que je fais ici.

J'arbore mon mince sourire du début.

– Est-ce que vous allez bientôt me le dire?

– Comme je le disais, ta mère et moi avons toujours gardé le contact depuis le temps où ton père était dépressif ou en phase maniaque. J'étais présente les jours suivant le suicide de ton père et nous avons renoué le contact lors de ta grosse dépression. J'ai été là pour la soutenir durant ces moments éprouvants. Elle m'a beaucoup parlé de toi, ainsi que la docteure Laverdière. Tout le monde est unanime pour reconnaître combien tu as du potentiel et de la persévérance. La façon avec laquelle tu as géré ta dépression est exemplaire. Tu as pris toutes tes pilules et es allée à toutes tes rencontres avec la docteure. C'est pourquoi, lorsque ta mère m'a laissé un message hier soir, je n'ai pas hésité à venir te rencontrer ce matin.

« C'est bien la seule qui n'est pas en train de me faire la morale ces derniers temps. Mais ça ne me dit toujours pas ce qu'elle fait ici. »

– De plus, ta mère avait peur que, si c'était elle qui avait voulu t'amener à l'hôpital, tu y aies mis beaucoup de résistance.

« M'amener à l'hôpital? Mais pourquoi? Je ne suis pas malade! »

– Ton dernier rendez-vous avec la docteure Laverdière remonte à plusieurs semaines. C'était lorsque tu avais terminé tes médicaments pour ta dépression. Tu allais très, très bien. Peut-être trop.

– Comment ça, trop bien ?

– Laisse-moi deviner. Tu crois que tu ne t'es jamais sentie aussi en forme, que rien ne peut t'arrêter.

– Je n'ai jamais eu autant confiance en moi. C'est comme si j'étais une nouvelle Justine. Tout est tellement plus facile.

Mme Lemieux demeure muette, impassible.

– Tout est vraiment plus facile ? Justine, je pense que, si tu t'arrêtes un peu, tu serais capable de trouver des occasions où la nouvelle Justine améliorée n'est pas aussi parfaite qu'elle te semble.

« Pourquoi est-ce que personne ne me croit ? »

Tout mon corps voudrait crier à l'incompréhension dont je suis la victime encore une fois. Mais je n'en ai pas la force. Même si j'ai peur de ce que va me dire cette Mme Lemieux, dans le plus profond de moi-même, ça me rassure qu'elle soit là. Tout va tout le temps très, très vite dans ma tête et je souhaiterais pouvoir arrêter ce rythme d'enfer pour quelques instants, dormir, laisser mon corps se décrisper, s'alourdir. Je voudrais m'écraser dans le fond du fauteuil pour ne plus me relever.

– Je n'ai pas dormi du tout hier. Ça m'est déjà arrivé plusieurs fois. Si je réussis à m'endormir, le plus tard que je suis capable de me réveiller, c'est à trois heures du matin.

– Il n'y a pas que ton sommeil qui ait changé, je crois, Justine.

– Qu'est-ce que ma mère vous a dit ?

Mon ton est agressif.

– Elle m'a dit qu'elle s'inquiétait pour toi, qu'elle ne te reconnaissait plus depuis un certain temps. Tu lui as fait penser à ton père, ce qui lui a fait peur.

– Là, je ne comprends pas. Je ne suis plus en dépression.

– Tu as tout à fait raison. Au contraire.

– Je ne comprends pas! Qu'est-ce que vous voulez dire par « au contraire »?

Mme Lemieux se rapproche de moi et me regarde droit dans les yeux.

– Justine, il est fort probable que tu sois atteinte d'une maladie mentale chronique qui s'appelle la bipolarité. Tu as déjà fait une dépression. Présentement, selon les symptômes que tu as, il semble que tu passes à travers un épisode de manie. Une personne qui vit une alternance entre dépression et manie, c'est ça qu'on appelle un trouble de bipolarité.

– Quoi? Vous êtes en train de me dire que je suis une malade mentale!

Je me lève d'un bond. « Ça s'peut pas! Ça s'peut pas! »

– Maman! Maman!

Ma mère entre en trombe dans le salon.

– Maman! Tu as joué dans mon dos et madame Lemieux pense que je suis malade... folle!

Je fixe droit devant moi, puis au plafond, puis derrière moi, je dévisage Mme Lemieux, puis ma mère et retourne mon regard loin devant.

– Où est Sophie?

– Je suis allée la mener chez Chloé. Elle va revenir après le lunch.

— Tu t'es organisée pour qu'elle soit absente, pour qu'elle n'ait pas le malheur d'apprendre qu'elle a une sœur malade mentale! C'est ça, hein ?

— Justine, s'il te plaît. Tout ce que j'ai fait, c'est pour ton bien. Je sais que tu ne comprends pas encore tout, mais s'il te plaît, fais-moi confiance. Laisse terminer madame Lemieux. Fais-le pour moi… et pour ton père.

— Justine, tout ce que tu entends depuis ces dernières minutes est très bouleversant pour toi. J'en suis consciente. Je veux que tu saches que ta mère est très courageuse de m'avoir contactée. Elle aurait pu décider de prendre un chemin moins tumultueux et de ne rien faire du tout, mais cela aurait eu un impact très négatif sur ta vie.

Je me sens comme si je faisais partie d'un très mauvais film où je sais déjà que, peu importe ce que je ferai, ça se terminera mal pour moi.

Je m'enfonce dans le fauteuil. J'ai juste le goût de m'en foutre. De leur montrer que peu importe ce qu'elles pensent, ça ne me dérange pas… Mais… je veux savoir… Si jamais… elles avaient raison.

J'avale ma salive tandis qu'un tremblement traverse tout mon corps.

— Justine, j'ai apporté une grille de symptômes pour la manie. J'en ai aussi apporté une comme celle que tu avais remplie lors de ta dépression.

Elle me tend deux copies et deux autres à ma mère. Je vous demande, à ta mère et à toi, de cocher tous les symptômes qui sont les tiens. Je crois qu'après cet exercice tu seras en mesure de mieux comprendre.

Je lis la grille pour la manie :

☒ Estime de soi démesurée

☒ Humeur irritable

☒ Diminution du besoin de dormir

☒ Besoin de parler sans arrêt

☒ Achats excessifs

☐ Relations sexuelles imprévues.

C'est bien parce que ma mère est arrivée si Simon et moi on ne l'a pas fait. Mais je devrais le cocher.

☒ Relations sexuelles imprévues.

« Je ne peux y croire. J'ai tout coché ! Je fais une manie. J'ai un trouble de bipolarité. Pourquoi moi ? Pourquoi moi ? Ça s'peut pas ! »

CHAPITRE 11

L'hôpital

Je pousse la grande porte vitrée de l'hôpital, ma mère et Mme Lemieux me suivent. Je me sens comme si j'entrais dans un abattoir, résignée. Ce qui m'arrive n'est pas possible. Mme Lemieux nous conduit vers la salle d'attente pour les prises de sang. Elle nous quitte alors en répétant à ma mère de ne pas hésiter à l'appeler au besoin. Une infirmière appelle le numéro 43. C'est le mien. Ma mère et moi nous dirigeons vers un petit cubicule.

Je rencontre une infirmière qui va me prendre plein de prises de sang. Je tourne mon regard vers le côté sans arrêt. J'ai tellement peur de m'évanouir. Puis, on se rend à l'étage de l'aile psychiatrique en empruntant un grand ascenseur. La D^{re} Laverdière nous y accueille. Toujours aussi calme et avec son demi-sourire. Elle nous conduit à ma chambre. Il y a une patiente qui partage ma chambre, mais je ne peux pas la voir, car le rideau est fermé. La docteure me dit qu'elle voudrait me garder en observation jusqu'à ce que les effets de la manie diminuent. C'est la première fois que je vais coucher dans un hôpital. Pourtant, je ne me sens pas malade.

Ma mère regarde sa montre.

– C'est la fin des visites. Il va falloir que je parte.

Elle tente de me regarder dans les yeux. Il me semble que les siens sont dans l'eau. Elle me donne un bec sur le front et me serre dans ses bras.

– Au revoir, Justine, à demain.

– Maman… À demain.

En ce moment, je me sens très seule. On dirait que c'est moi qui vais pleurer.

Plus tard, faisant sa dernière tournée des malades de la journée, la D^{re} Laverdière écrit dans un cartable et le dépose dans un cadre en métal au pied de mon lit.

– Justine, l'infirmière va venir te porter des relaxants. Ça va t'aider à te sentir moins agitée et, surtout, à mieux dormir.

*   *

*

Je sens quelqu'un me secouer. Je n'ai pas le goût d'ouvrir les yeux.

– Justine. Justine.

Je les entrouvre avec paresse. J'aperçois ma mère.

– Justine, ça fait quatorze heures que tu dors ! Comment te sens-tu ?

– Comme si je revenais de très, très loin.

Je suis surprise de la lenteur avec laquelle j'ai répondu.

Quelques minutes plus tard, la D^re Laverdière arrive.

— Bonjour, Justine ! Tu as bien dormi à ce que je vois !

La docteure s'approche près de mon lit. Elle me regarde avec son bon sourire.

— Avec tous les symptômes que tu avais cochés sur la grille, en plus des relaxants qui font effet, je peux te confirmer que tu as bel et bien un trouble bipolaire. Ce sont les antidépresseurs que tu prenais pour ta dépression qui ont causé ta manie.

Je sens une flèche entrer dans mon coeur. Tout s'arrête. Je suis complètement réveillée. « J'ai une maladie mentale. »

— À partir de maintenant, tu vas commencer à prendre une pilule qui s'appelle le lithium. Le taux dans ton sang est plus bas que la normale. Tu vas devoir prendre quatre comprimés tous les jours. Et j'ai bien peur que ça ne soit plus ou moins cette quantité pour le reste de tes jours.

Ça en est trop. Je me mets à pleurer et à crier en même temps.

— Pourquoi est-ce que ça m'arrive à moi ? Qu'est-ce que j'ai fait ? J'vas toujours être comme ça ? Je ne pourrai jamais m'en sortir ?

— Justine, est-ce que je peux ?

Je lui fais signe que oui. Elle s'assoit près de moi sur mon lit et me regarde bien droit dans les yeux.

— Ça fait un bout qu'on se connaît. J'aimerais ça que tu me crois si je te dis que, dans la plupart des cas, une personne qui prend ses pilules aura une très belle vie. Tu pourras faire tout ce que tu veux. Il faudra peut-être que tu t'organises pour avoir une vie équilibrée, comme tu le fais déjà, mais tu peux être heureuse, Justine. Il est très possible que ton père ait aussi eu cette maladie. Comme c'est une maladie héréditaire, tu avais 25 % de chance de l'attraper. Tu peux retourner avec ta mère à la maison. On va se revoir bientôt pour un suivi.

* *
*

Ma mère entre en coup de vent dans ma chambre. Elle tire le rideau et entrouvre la fenêtre.

— Je vois que tu as encore beaucoup dormi.

Je place avec lenteur mes oreillers pour m'asseoir dans mon lit.

— J'ai une surprise pour toi ! Quelqu'un vient d'arriver à la maison pour te voir avant le souper.

Ma mère se retourne vers l'entrée de la chambre.

— Reste pas là. Entre, Laurence. Tu sais bien que tu es toujours la bienvenue.

Ma mère entraîne Laurence à l'intérieur de ma chambre et sort en refermant la porte.

Les paupières de Laurence battent à tout rompre tandis qu'elle se dirige tranquillement vers le pied du lit. Elle s'y assoit, fixe le couvre-lit qu'elle tortille avec ses doigts. Elle relève la tête et me dévisage. Petit à petit, ses paupières deviennent comme de petits papillons posés au soleil. Son regard m'émeut.

« Comment est-ce qu'elle peut me regarder aussi gentiment malgré mon comportement des dernières semaines ? J'ai essayé de la mettre à l'écart, car je me pensais supérieure comme lorsqu'elle m'a donné la lettre de M. Dallard. J'ai pogné les nerfs plusieurs fois sans aucune raison. J'ai refusé d'écouter ce qu'elle avait à me dire au sujet de Simon. Je lui ai même dit de se mêler de ses affaires, qu'elle ne comprenait rien, alors que c'est elle qui avait raison. Je lui ai même demandé de mentir à ma mère pour aller chez Simon. Je ne la mérite pas... »

Des larmes coulent sur mes joues, puis je me mets à pleurer à gros sanglots. Cela faisait longtemps que je n'avais pleuré avec autant d'émotion. Ma carapace d'agressivité des dernières semaines avait fondu.

— Lola.

— Ju-ju.

Nous nous rapprochons et nous serrons dans les bras l'une de l'autre.

« Je suis tellement heureuse que Lola soit ici avec moi. J'ai été méchante avec elle. Et elle n'a presque jamais rien dit. »

Je sers Laurence encore plus fort.

— Lola, ça me fait tellement de peine de la façon que je t'ai traitée. Excuse-moi.

— Je suis tellement contente de t'avoir retrouvée, Ju-ju ! Ma Ju-ju ! J'avoue que j'ai eu peur que t'aies changé pour de bon. Ta mère m'a bien expliqué les symptômes de ta maladie. Quand tu étais en manie, tu n'étais plus toi-même. C'était tellement difficile de ne plus te reconnaître.

— Lola, je ne sais pas ce que je ferais sans toi.

Mon sourire se rapetisse.

Je me remets à sangloter. Laurence met ses bras autour de mes épaules.

— Lola, je pensais jamais avoir une maladie mentale. Je pensais que c'était juste les vieux ou

Les voies du slam

les handicapés ou les personnes qui sont nées comme ça.

J'essaie d'essuyer avec mes mains mes larmes qui ne cessent de couler.

— Excuse-moi, Lola, tu dois me trouver plate.

— Ben voyons, on est meilleures amies, non ?

Laurence s'assoit collée sur moi et me prend la main. Elle me regarde droit dans les yeux.

— Je veux que tu m'racontes toute. J't'écoute. Qu'est-ce que la docteure t'a dit ?

— La docteure appelle ça un trouble bipolaire, elle dit que c'est le terme médical pour dire maniaco-dépression. Elle m'a dit que c'était presque sûr que mon père ait aussi eu cette maladie.

— Mais je pensais que la docteure et ta mère t'avaient appris pendant ta thérapie que ton père s'était suicidé ?

— Oui, parce qu'il était dans une phase dépressive à ce moment. Mais en me regardant aller ces dernières semaines, ma mère s'est mise à trouver plein de ressemblances avec les comportements de mon père. Elle m'a dit que la maladie mentale, c'était encore plus tabou quand j'étais enfant qu'aujourd'hui et que mon père n'a pas eu la chance de trouver les bonnes personnes pour l'aider, les bons médicaments et que vivre était trop difficile pour lui.

— Mais toi, Ju-ju ? Est-ce que tu vas être correcte ? Est-ce que tu vas guérir ?

Lola a l'air vraiment inquiète.

— Lola, relaxe, je vais pas mourir. C'est vrai que je ne vais jamais guérir non plus. Je vais toujours avoir cette maladie. Mais la docteure est vraiment sûre d'elle. Elle dit que, si je prends toujours mes médicaments, je vais avoir une belle vie comme tout le monde, de bonnes notes, un bon travail, des enfants, un amoureux.

– Parlant d'amoureux. Simon ?

– Qui ça, Simon ? Si tu parles du lâcheux de ses dames, celui qui n'a même pas pris la peine de répondre à mon texto de samedi dernier, il fait partie de la liste de symptômes que j'avais durant mon épisode de manie, au même titre que mon agressivité ou que mon envie folle de dépenser, une chose du passé. Maintenant que je vais bien, je n'arrive pas à comprendre comment est-ce que j'ai pu m'amouracher d'un gars comme lui. Il est tellement égocentrique !

CHAPITRE 12

Le concours de slam

Dans ma chambre, assise à mon bureau de travail, j'écris avec ferveur dans mon cahier de français. J'ai beaucoup réfléchi au problème éthique soumis par mon professeur de français, un sujet constamment débattu par le gouvernement du Québec et du Canada :

Pour ou contre le droit à l'aide à mourir ?
Par Justine Côté-Lapointe

J'ai toujours cru en la liberté. Cela a toujours été primordial pour moi que les gens aient le droit de choisir lorsqu'il est question de la conduite de leur vie. Donc, si une personne veut mourir parce qu'elle souffre trop, eh bien, il a toujours été clair pour moi qu'elle devait en avoir la possibilité. Cependant, depuis que j'ai reçu mon diagnostic de bipolarité, je crois qu'il faut mettre des balises très nettes entourant cette décision difficile. Par exemple, il est probable qu'une personne très malade ou âgée veuille mettre fin à ses jours parce qu'en plus d'éprouver des douleurs physiques elle souffre

psychologiquement, en faisant une dépression
par exemple. Donc, je crois qu'il est très impor-
tant que des médecins et psychologues donnent
leur opinion lorsqu'une décision comme
l'eutanasie[1] est prise.

Oh non! J'ai encore oublié où mettre le h...

J'empoigne le vieux dictionnaire de mon père
que je laisse traîner sur le coin de mon bureau.
Je sais que je perds du temps à chercher dans ce
gros livre au lieu de faire comme tout le monde
et d'utiliser l'autocorrecteur de mon ordinateur.
Mais j'utilisais ce dictionnaire même avant le
décès de mon père. On s'amusait à trouver un
mot au hasard et à inventer les définitions les
plus farfelues ou les plus véridiques possible. Avec
les années, c'est devenu un rituel, une passerelle
entre lui et moi. Notre amour commun des mots.

En ouvrant le volume, je vois une enveloppe
tomber par terre.

M. Pierre Dallard
Français 4B

Le concours de slam! J'ai complètement oublié
d'apporter mon enveloppe à l'école. Je vais la
remettre demain avec ma rédaction.

Je dépose l'enveloppe dans mon sac à dos.

Je relis une dernière fois ma rédaction. Je suis
fière de la référence que j'ai faite au sujet de ma
maladie. Je suis sûre d'une chose. Pour être libre,

---

1.   Euthanasie : nom féminin (grec euthanasia, mort
douce). Acte d'un médecin qui provoque la mort d'un malade
incurable pour abréger ses souffrances ou son agonie, illégal
dans la plupart des pays.

il ne faut pas se dérober. Je ne ferai pas comme mon père, ne cacherai pas ma maladie.

Je range mon cahier de français dans mon sac d'école près de l'enveloppe contenant mon slam.

« M. Dallard va être fier de moi. Je pense que je vais le gagner, ce concours ! »

Je m'arrête de bouger d'un coup sec, me penche, ressors l'enveloppe de mon sac, l'ouvre et me mets à lire. En fait, je tente de déchiffrer ce qu'il y est écrit. C'est à peine si je reconnais les gros caractères sur la page. C'est mon écriture, mais agrandie, enflée, boursouflée. Des rimes se chevauchent certes, mais forment un tout qui n'a vraiment pas de sens.

> *Je suis la championne du monde qui va en avant.*
> *Regardez les couleurs du ciel, qui vont droit devant.*
> *La vie est magique. J'utilise ma baguette.*
> *Pour me rendre au ciel avec des paillettes.*

« C'est tellement mauvais. Une chance que je l'ai lu avant de le remettre. Je ne pensais pas que j'étais aussi flyée que ça pendant ma manie. Moi qui pensais que c'était un slam exceptionnel… »

Je déchire la feuille et cache les morceaux bien au fond de ma poubelle sous les autres ordures.

« Il faut que je réussisse à écrire quelque chose de bon avant la date limite. Je ne voudrais pas décevoir M. Dallard. Il est tellement un bon prof. Merde ! Il ne me reste pas beaucoup de temps ! »

Je n'hésite pas à choisir le sujet que je veux aborder dans mon slam. Je me mets à écrire. Des rimes, des jeux de mots, des métaphores. Je suis encore sous le choc du slam que j'ai écrit durant mon épisode de manie. Comment avais-je pu penser une minute que c'était bon ? Je suis aussi sous le choc pour une autre raison. Écrire un bon slam, c'est beaucoup plus difficile que ça en a l'air. En me relisant, je me rends tout de suite compte que ce n'est pas avec ça que je gagnerai. Le découragement m'envahit. Au bout de plus de deux heures, je range tout dans mon tiroir.

Je suis nerveuse. J'ai peur de ne pas réussir. Ça va être difficile. Je ne veux pas décevoir mon professeur.

Accablée par mes pensées, je me dirige machinalement vers le piano. J'aime jouer du piano. J'aime même pratiquer.

Des bruits d'animaux sur un fond de musique enfantine agacent alors mes oreilles.

– Fi-fi, pourrais-tu baisser le volume ? J'ai besoin de pratiquer.

– OK.

Sophie enfile ses écouteurs alors que je me mets à jouer. J'accroche toujours sur les deux mêmes mesures. J'ai de la difficulté avec le doigté.

1,3,4,1. Pas 1,3,4,2. Il ne faut pas que je joue avec mon index. Je recommence.

Avec patience, je reprends plus de dix fois ces deux mesures ardues de la *Fugue* de Bach. Je réussis enfin et termine le morceau en entier.

« C'est comme le piano. Si je travaille, je sais que je vais être capable d'écrire un bon slam ! »

Je retourne dans ma chambre, décidée. J'écris et récris des tonnes de versions, inverse des phrases, change des mots de place, essaie plusieurs rimes. Au bout de plusieurs jours à consacrer la majeure partie de mes temps libres à l'écriture de mon slam, je suis finalement satisfaite du résultat.

La feuille dans mon sac, pour me récompenser, je m'en vais jouer au piano l'une de mes valses préférées, celle de Schubert. Des notes enjouées au rythme entraînant éclatent partout dans le salon. Sophie abandonne même sa tablette qu'elle ne semble jamais quitter pour s'approcher du clavier du côté gauche, celui des sons graves. Elle se met à improviser des accompagnements *staccato*. Sans m'arrêter, je me tourne vers ma sœur et sourit.

– Ju-ju. J'suis contente que tu sois ma grande sœur bipolaire. Depuis qu'tu prends tes pilules, même si on s'chicane pareil, t'es plus gentille avec moi, comme avant.

La musique enlevante s'accélère et résonne un peu plus fort dans toute la maison.

Laissé sur le bord du piano, mon cellulaire se met à danser. Tout en continuant de jouer, je m'étire le cou pour voir qui m'a envoyé un texto.

GUILLAUME
Salut Justine,

Wow! Un message de Guillaume! À l'insu de Sophie, j'improvise une entourlopette qui m'amène rapidement à la puissante finale du morceau. Sophie s'en donne à cœur joie pour plaquer ses accords les plus sonores.

Alors qu'elle retourne à son jeu, je m'enfuis dans ma chambre.

GUILLAUME

Salut Justine,
Tu dois être surprise que je t'écrive aujourd'hui après de si longs mois de silence. Je viens de rencontrer Lola par hasard sur le trottoir. Elle a absolument voulu me parler de toi. On est allés au Tim Hortons à côté de chez vous. Je t'avoue que je suis surpris que tu aies une maladie mentale. Mais pas tant que ça. Tu as toujours été très expressive et puis tu as eu ta dépression. Ce qui m'a le plus marqué, c'est comment tu passes au travers. Lola n'en revient pas comme tu t'es vite relevée, que, même si c'est difficile, tu aies accepté. Elle dit que tu vas bien maintenant. Je te trouve courageuse. Je n'ai jamais rencontré une fille comme toi et ça m'est arrivé de me dire que j'avais peut-être fait une erreur en voulant qu'on se laisse. Si tu veux, j'aimerais vraiment ça te revoir.

14:00

Les voies du slam

«*Oh my God!* Non! Le revoir. C'est ce que j'ai voulu le plus au monde durant ma dépression, mais ça me fait tellement peur.»

Je me mets à marcher en rond, suivant la forme ovale de mon tapis. Je suis tellement mêlée. Je ne sais plus quoi faire. J'empoigne mon cellulaire, puis me mets à taper avec vigueur.

JUSTINE

Lola,
À l'aide !!!!!!!!!!!!!!!
Je viens de recevoir un long texto de Guillaume. Je ne sais pas quoi faire.

14:14

LOLA

Justine, hier, j'ai vu Guillaume. Je ne sais pas comment te dire ça. Je pense vraiment que je l'aime, que je l'ai toujours aimé. Mais je ne lui ai encore rien dit. Je voulais t'en parler. Je ne veux surtout pas que ça te dérange. T'es ma best.

14:14

NEW YORK

Instagram ⌄

MétroNumb

901,026 likes

MétroNumb Lancement officiel : Concours international de slam jeunesse / metronumb.fr

MétroNumb

présente

CONCOURS INTERNATIONAL FRANCOPHONE DE SLAM

Édition jeunesse

Prestation des finalistes sur scène à Paris
Dévoilement du grand gagnant
Jury composé des membres de MétroNumb

Date limite de soumission des textes :
15 novembre à minuit

CHAPITRE 13

Le concours de slam

Je relis l'annonce du concours plusieurs fois. Je n'arrête pas de sourire. Des images des membres du groupe qui m'entourent, me félicitent, inondent ma tête.

Je veux participer à ce concours! J'aimerais tellement ça aller à Paris. Un slam en français. Si je gagne, mes parents seront tellement fiers de moi. Prendre l'avion pour aller voir MétroNumb. Ce serait trop *hot*.

Hum…. Je souris moins. Je ne suis pas si bon que ça pour écrire des slams. Je ne sais même pas sur quoi j'ai envie d'écrire.

Je ne peux pas décrocher mon regard de l'écran de mon nouveau portable.

Comme j'étais fier lorsque je l'avais acheté. Le tout dernier modèle, couleur argent. Toutes mes économies y étaient passées. Durant l'été, j'avais travaillé fort comme livreur au Whole Foods, un nouveau supermarché de luxe qui venait d'ouvrir sur la 125e rue dans Harlem. Tout y était si dispendieux que mes parents n'étaient venus qu'une fois me voir au magasin pour se procurer de la nourriture. Ils avaient été heureux de découvrir que certains produits locaux y étaient vendus comme les fameuses épices à poulet de chez Sylvia. Ils ont aussi reconnu l'emballage des soupes de l'Afrique de l'ouest d'Egunsi tout comme celui des boissons traditionnelles africains de Ginjan.

8:24

Je sursaute.

Merde! Je vais être en retard pour ma première journée d'école!

Je dévale les neuf étages du *project*, l'habitation à loyer modique où j'habite, l'ascenseur étant encore en panne depuis une semaine. Aussitôt à l'extérieur, j'aligne ma casquette pour que le ballon de basket soit pile au milieu de mon front. Puis, j'installe mes écouteurs dans mes oreilles. Pour moi, les Knicks de New York sont au basket-ball ce que MétroNumb est à la musique.

Je ne pourrai jamais arriver à l'heure si je marche. Je me résous à prendre le métro. En entrant à la station de la 125e rue, les poubelles débordent et une odeur de pourriture me donne un haut-le-cœur. Je ne veux pas me laisser incommoder, pas aujourd'hui. Je me concentre sur l'écoute des slams de mon groupe. Je m'imagine prenant un *selfie* devant la tour Eiffel en compagnie des membres de la formation. Je saute dans le quatrième wagon du *train* de la ligne 3 qui arrive, pour me rendre à la station de la 145e rue.

Dès que je franchis la grille de la cour d'école, j'aperçois mes amis qui discutent. Même si j'ai le goût, je ne vais pas leur parler du concours de slam. Avec mes amis, on ne se parle qu'en anglais. Comme nous allons à l'école publique du coin, c'est la seule langue pratiquée, à part quelques cours d'espagnol minables. Surtout, j'ai peur de passer pour un *nerd* si je leur dis que j'écris des slams en français.

— Roy! Bruce!

— *Hey, bro*! me répondent-ils.

— Une petite partie de basketball après l'école?

18:00. J'ouvre la porte. Personne encore n'est de retour.

Je m'installe sur la vieille table en acajou de la cuisine et ouvre mon cahier de math. Je regarde les problèmes avec un intérêt inversement proportionnel à celui que je manifeste lors d'une finale de la NBA à la télé.

J'en suis à mon cinquième problème lorsque ma mère pousse la porte. Elle a le regard tourné vers le plancher. Je remarque que le tour de ses yeux est sombre et que ses lèvres sont serrées. Elle relève la tête et m'aperçoit. Les traits de son visage se décontractent.

— *Tyo*, c'était comment ta première journée?

— Tranquille.

— Bon. À part ça, quoi de neuf?

— Rien de spécial.

Tout en se dirigeant dans sa chambre pour ranger sa bourse et son manteau, ma mère me parle.

— Bon. Tant mieux si tout va bien. Moi, je suis toujours satisfaite de mes nouveaux patrons du Upper West Side. Au moins ils sont polis et ne me crient pas après lorsque quelque chose a été perdu dans leur maison.

Pendant ce temps, je relis mon problème pour la quatrième fois.

— Maman.

Pas de réponse.

— Maman, je répète un peu plus fort.

— Qu'est-ce qu'il y a ? répond ma mère de sa chambre.

— J'ai décidé de participer à un concours de slam en français. Le prix, c'est un voyage à Paris.

Ma mère revient avec empressement dans la cuisine.

— Ah oui ? Je suis certaine que tu vas gagner. Tu écris tellement bien. En plus, t'as plein d'idées.

— Je ne suis pas sûr du tout de gagner, mais j'aimerais ça. T'imagines, je serais sur scène avec le groupe MétroNumb.

— Je ne connais pas ce groupe.

Ma mère regarde au loin, pensive.

— Est-ce que c'est ce groupe que tu as fait jouer cette fin de semaine durant le petit déjeuner ? Avec des jeux de mots vraiment rapides à la fin ?

— Ouais, c'est ça.

— Je le savais que ça me disait quelque chose.

Ma mère s'affaire à préparer le dîner. Elle a un soupçon d'entrain de plus qu'à l'habitude.

Je n'ai déjà plus le goût de faire des maths. Distrait, je regarde un peu partout pour m'arrêter sur le vieux cadre de bois posé sur le comptoir. Je vois ma mère arborant un large sourire, entourée de ses élèves. On peut en compter au moins cinquante. Elle qui adore les enfants. Depuis que mes parents ont quitté Haïti, elle n'a jamais pu enseigner à nouveau. Je sens que ma mère n'est pas heureuse comme ménagère.

Tout à coup, elle vient se planter directement entre la photo et moi, l'air joyeux.

– Je ne te le dirai jamais assez, Mano. Je suis fière de toi ! Il y a seize ans, lorsqu'on a immigré à New York, ton père et moi, et que j'étais enceinte de toi, on voulait vraiment que tu sois fier de parler français et créole. Je suis tellement contente que tu aies décidé de participer au concours.

Elle me donne un bec bruyant sur la joue. Je ne raffole pas des marques d'affection démonstratives de ma mère.

– Bon. Mais c'est pas encore fait, lui dis-je en me levant, soulagé que personne ne nous ait vus.

Je me dirige vers ma chambre et ferme la porte. Je veux en finir avec mes maths. Et commencer mon slam, s'il me reste du temps.

Alors que j'ai presque terminé mon devoir de math, j'entends mon père qui revient du travail.

– Marie, je suis vraiment fatigué ce soir. Le patron m'a demandé de nettoyer tous les escaliers de la tour B. Je ne sais pas pourquoi, mais il voulait que ça soit terminé aujourd'hui. Il faisait tellement chaud et il y avait du *chewing-gum* collé un peu partout. C'est certain qu'il y a moins de violence ici que chez nous, mais bon.

Mon père s'assoit à la table.

– Je n'ai pas beaucoup de temps pour souper avant de me rendre à mon bénévolat. Il y a des participants comme jamais. Je pense que le beau temps de l'été a fait en sorte que beaucoup plus de personnes ont augmenté leur consommation de drogues et encore plus, je crois, d'alcool.

Alors que ma mère est affairée à servir les assiettes et que mon père continue à parler de la soirée qui l'attend, j'entre dans la cuisine sans faire de bruit pour ne pas interrompre mon père. Je sais que son bénévolat au Centre d'aide aux alcooliques et toxicomanes lui tient à cœur. Il se sent utile là-bas. Malgré tous ses efforts pour se reconstruire une vie ici, je sens que mon père trouve très difficile son travail de concierge du complexe de *projects* où nous demeurons, lui qui était un jeune médecin prometteur en Haïti.

Il constate ma présence. Ses yeux s'éclairent.

– Mano, je suis content de te voir. C'était comment l'école ?

* *
*

Souvent, avant de me coucher, je me répète les mêmes mots dans ma tête, comme une prière que je voudrais voir exaucer :

« Mes parents font beaucoup de sacrifices pour moi. Ils seront fiers de moi un jour. Seulement, il y a des moments où je ne sais plus si je pourrai y arriver. »

* *
*

C'est le deuxième jour d'école. Tous les élèves de ma classe sont assis, prêts à écouter le professeur quand, tout à coup, le vieil intercom se met à crachoter.

« *Attention please !* Emmanuel Cantave est prié de se rendre au bureau du *Principal* Miller à la pause du matin. Je répète, Emmanuel Cantave, Mano est prié de se rendre au bureau du *Principal* Miller à la pause du matin, sans faute. »

Tous les yeux des élèves de la classe me dévisagent. Je voudrais glisser sous mon bureau et rentrer dans le plancher. Affaissé sur ma chaise, je hausse les épaules pour signifier que je ne comprends pas ce qui se passe.

Le professeur, qui a perdu l'attention de tout le monde, fait des « hum, hum, hum » de plus en plus fort.

Enfin, la pause. Je me précipite dans le bureau du *Principal* Miller. Celui-ci m'accueille avec un large sourire.

– *Good Morning*, Mano. Assieds-toi.

Je m'installe sur la chaise, bien droit, comme ma mère me l'a enseigné.

– Le président du Borough de Manhattan, l'un des cinq arrondissements de la ville de New York, organise une grande rencontre. Le but de cette rencontre est que les jeunes puissent partager et apprendre différents modes de vie et coutumes. Comme tu le sais déjà, New York est une ville très cosmopolite. Sais-tu combien on parle de langues ici ?

Je sais qu'il y en a plusieurs.

– Environ deux cents langues ?

– Huit cents ! On parle huit cents langues à New York, Mano. Hier après l'école, le prof d'anglais, le prof d'histoire et moi-même, nous sommes rencontrés. Je suis heureux de t'annoncer que tu as été choisi pour représenter l'école. Tu es un élève studieux, créatif et engagé. Tu sais comment exprimer tes idées. Tu nous l'as prouvé lors de notre concours de « Journalistes en herbe ». Merci, Mano, pour ta participation. Je sais que tu vas faire du bon travail !

Je me retrouve à l'extérieur du bureau du *Principal* Miller. Je suis très surpris par cette annonce inattendue. Je suis vraiment fier d'avoir été choisi et aussi très nerveux. Si j'adore écrire, je n'aime pas beaucoup parler en public. Mais comme j'aimerais devenir journaliste international, je veux absolument relever ce défi. Et puis, ça va être une excellente pratique si je me rends à Paris pour le concours de slam! À l'instar de mes parents, je me dis que je n'ai qu'à travailler fort et à bien me préparer.

La journée d'école terminée, Bruce, Roy et moi marchons ensemble pour nous rendre au terrain de basketball. Bruce est furieux, lui qui est si détendu habituellement.

– *No, no, no*! Je ne peux pas croire qu'on doive encore avoir nos cours d'anglais assis dans l'escalier entre le premier et le deuxième étage. La direction nous avait dit que ce serait réglé cette année! Comment veux-tu qu'on apprenne comme du monde alors qu'on n'a même pas de place pour prendre des notes et qu'il n'y a pas de tableau pour le prof?

– *Yes*. T'as raison, Bruce, ça ne fait pas d'sens, peste Roy.

Je ne peux moi aussi m'empêcher de manifester ma colère.

– *No way*, je renchéris. Si on allait dans une école dans un autre quartier de New York, les choses ne seraient pas pareilles du tout. Je commence à en avoir vraiment marre. Avez-vous remarqué qu'il n'y a plus aucune porte aux toilettes du sous-sol? Il paraît qu'elles ont toutes été arrachées par des intrus qui sont entrés durant le camp de jour cet été. C'est comme ça qu'on commence l'année!

– *Right*. Pour nous autres, les gars, ajoute Roy en faisant tourner sa casquette vers l'arrière, c'est peut-être pas un gros problème, mais pour ma soeur, elle m'a dit que c'était super dégradant pour toutes les filles. Elle va en parler à ma mère. Elle ne sait plus quoi faire. Les autres toilettes pour les filles sont seulement au troisième étage. Elle n'est vraiment pas chanceuse, c'est pendant le temps qu'elle a ses « hum », vous savez ce que je veux dire, ses affaires de filles.

Nous marchons tous les trois en silence. D'habitude, lorsque l'un d'entre nous parle d'affaires de filles, il y a toujours un petit fou rire, un petit inconfort désopilant. Mais en ce moment, c'est différent. Aucun de nous ne se sent le cœur à rire.

Le soir, je m'installe pour écrire mon discours. J'ai peur de ne pas trop savoir quoi dire. Je repense à ma mère, à mon père, à ma dernière discussion avec Bruce et Roy. Je songe aussi à Kamilah, qui m'intéresse, parce qu'elle n'a pas froid aux yeux. Toutes ces personnes font du mieux qu'elles peuvent pour vivre leur vie et c'est ce que je vais faire avec mon discours. Je vais tenter de décrire mon voisinage du mieux possible en essayant de présenter les faits, comme un bon journaliste. Contrairement à ce que je m'étais imaginé, ça n'a pas été difficile à écrire. Mais pour ce qui est de faire l'exposé, la tâche me semble titanesque. Même si je répète mon exposé au moins dix fois devant le miroir en essayant d'être détendu, je ne me sens pas confiant.

* *
*

Le grand jour est arrivé. Je suis dans les coulisses en file avec vingt élèves provenant d'autres écoles de New York. Je suis le quatrième en liste. Je me sens nerveux. Je reconnais les petits papillons dans mon ventre, ces petites décharges électriques qui me donnent l'énergie nécessaire pour bien performer. J'ai peur de ne pas y arriver.

C'est à mon tour. Je m'approche du micro, affichant mon plus beau sourire. Je crois que je parviens à bien cacher ma nervosité.

Il doit y avoir au moins cinq cents élèves dans la salle. Ouf ! Les lumières sont tellement fortes que j'aperçois seulement les visages des élèves qui sont dans la première rangée.

Je plisse mes yeux pour mieux voir.

C'est mon école qui est en avant ! Bruce, Roy, Kamilah...

Je prends une grande inspiration.

« *Hi everyone, I am* Mano. Je demeure dans Harlem. La plupart des habitants de ce quartier sont des immigrants venant principalement d'Amérique centrale et du sud. On s'appelle les *Latinos* et les *Blacks*. Moi-même, je suis un fils d'immigrants. Mes parents ont quitté Haïti, car c'était trop violent. En plus de l'anglais, je parle aussi créole et français. J'habite dans un complexe de six *projects*. Pour ceux qui ne savent pas ce que c'est qu'un *project*, c'est une tour très haute, au moins vingt étages, subventionnée par la ville de New York pour des familles à moyens ou faibles revenus. Comme vous pouvez vous imaginer, il y en a beaucoup dans Harlem. Au centre des tours, il y a souvent un grand espace en ciment. C'est un bon endroit pour faire du *skateboard* ou pour écouter de la musique avec mes amis. Il y a aussi quatre paniers de basketball. J'aime beaucoup jouer au basketball. Le problème quand on vit dans un *project*, c'est qu'on se sent en dehors du reste du monde parfois. Et en plus, il n'y a pas d'arbres, donc pas d'ombre du tout. L'été passé, c'était vraiment chaud. »

Tout en parlant, j'essaie de voir comment les élèves de la première rangée réagissent. Je ne saurais pas dire exactement, mais j'observe tout de même qu'ils sont attentifs. Je me sens moins nerveux que je m'étais imaginé.

« Je veux compléter ma présentation en vous disant que c'est très important pour moi que je réussisse dans la vie. Lorsque mes parents et les membres de ma famille en Haïti seront plus âgés, je veux être capable de leur rendre tout ce qu'ils m'ont donné. Mes parents me répètent tout le temps que, même si tout n'est pas parfait, notre vie à New York est tout de même mieux que celle en Haïti. Ils font beaucoup de sacrifices pour moi et je veux qu'ils soient fiers de moi. *Thank you.* »

Aussitôt que j'ai terminé, je ne peux m'empêcher de chercher Kamilah du regard. Je la repère grâce à ses cheveux crépus qu'elle place toujours en forme de gros chignon.

Elle ne regarde même pas dans ma direction. Elle ne sourit pas. Elle a l'air ennuyée même. Elle est toujours la première à avoir un grand sourire d'encouragement lorsqu'un élève présente en classe. Peut-être est-ce qu'elle n'a pas aimé ce que j'ai dit ? Moi qui espérais qu'elle me remarque avec mon exposé. À moins que je ne l'intéresse pas comme je l'espérais et qu'elle soit plutôt attirée par Rodrigo. C'est vrai que je l'ai vu rire avec lui et Yusi durant la pause hier après-midi. Et ce matin, j'ai bien vu qu'elle et lui étaient en train de se parler avant qu'ils regagnent chacun leur place avec leurs amis.

La présentation de tous les jeunes est terminée. Un panel (chanteurs, sportifs, gens d'affaires, médecins) composé de personnalités qui ont « réussi » dans la vie débute. C'est au tour d'un policier de prendre la parole.

« *Good morning everyone*. Ravi d'être parmi vous aujourd'hui. Je suis l'agent Tristan King. Comme certains d'entre vous, je suis un fils d'immigrants. Mes parents ont quitté la Jamaïque pour nous offrir, à mes quatre frères et sœurs et à moi-même, une vie meilleure. Mon rôle en tant que policier est de travailler avec les jeunes. L'une de mes tâches consiste à faire en sorte que le nombre de gangs de rue diminue. J'aimerais faire un petit test avec vous tous. Je veux que vous leviez la main si vous connaissez une personne qui a fait ou a déjà fait de la prison. »

Les écoles sont groupées selon les différents secteurs de Manhattan : Lowertown, Midtown, Upper East Side, Upper West Side, Harlem et le Bronx. Quasiment tous les élèves des écoles de Harlem et du Bronx lèvent leur main. Par contre, deux mains suffisent pour compter celles des élèves provenant des écoles du Upper East Side et du Upper West Side, quartiers riches. Pourtant, ces secteurs sont situés les uns à côté des autres.

« Qui a déjà entendu un coup de feu ? »

Toujours très, très peu de mains du côté des quartiers riches, alors que presque toutes celles des quartiers pauvres sont levées, comme tantôt.

« Qui connaît une personne qui a été tuée ? »

Le policier balaie lentement toute la salle du regard.

Mêmes mains levées.

Je me sens triste et furieux.

« Ce n'est vraiment pas juste. »

Comme s'il avait lu dans mes pensées, le policier poursuit.

– Je crois que, pour plusieurs d'entre vous, il est difficile de constater toutes les inégalités que l'on rencontre à New York. Le but de cette journée était de donner l'occasion aux jeunes de tous les coins de New York d'échanger et d'un peu mieux se connaître. J'espère que ces rencontres ne font que commencer et qu'un jour j'aurai la chance de collaborer avec beaucoup d'entre vous. Il y a plusieurs actions que nous pouvons poser pour améliorer la vie des jeunes à New York. *Thank you and take care!*

Sur le chemin du retour à l'école, je suis incapable de m'effacer de la tête l'image de toutes les mains levées d'un côté et de presque aucune de l'autre. Je me sens bouillir, comme si j'allais crier. Il faut que je me contienne, je suis presque rendu à l'école. Le cours d'histoire de *Mr* Brown commence dans deux minutes.

CHAPITRE 14

Kompa et *twasèt*

Du couloir, j'aperçois ma mère, assise sur son grand lit couleur de mer. Elle regarde un petit cadre déposé sur ses genoux. Elle tourne lentement sa tête vers moi. Son sourire est plus effacé qu'à l'habitude.

— *Tyo*, veux-tu entrer ? me demande-t-elle doucement.

Je m'installe sur le lit à côté de ma mère.

— As-tu déjà vu ce portrait ?

— Non, mais j'reconnais grand-mère. C'est elle, c'est *Grann*.

— C'n'est pas *Grann*. C'est un portrait beaucoup plus vieux. C'est celui de sa grand-mère.

— Mon arrière-arrière-grand-mère ?

— Oui, c'est ça.

Mais elle ressemble tellement à *Grann*. Elle porte une coiffe et une chemise, tout comme elle.

Je prends le cadre dans mes mains et le rapproche de mon visage. Tout en observant attentivement les traits de la femme, je ressens comme un malaise et une grande tristesse.

Grann, sauf lorsqu'elle était fâchée comme ça lui était arrivé quelques fois, avait toujours eu un regard et un sourire comme si quelque chose de drôle venait d'arriver. La femme sur cette photo a les yeux très sombres et les lèvres serrées. Elle a l'air déprimée, frustrée, non, misérable. Je ne peux pas dire comment exactement.

Je sens ma poitrine se serrer de plus en plus fort, comme si j'allais crier de l'intérieur.

On m'a parlé de l'esclavage très souvent. Mais de voir une esclave avec les traits de *Grann*…

Mes yeux sont aimantés au portrait. C'est comme si j'espérais qu'en fixant avec intensité le regard de mon arrière-arrière-grand-mère j'allais mieux comprendre ce qu'elle ressentait.

— Maman, c'est un portrait durant l'esclavage. C'est ça ?

— Oui, mon *Tyo*. C'est l'unique souvenir que l'on a de cette époque. Ça faisait partie de l'héritage que *Grann* nous a laissé.

— De voir quelqu'un comme *Grann* être une esclave, ça m'dérange beaucoup plus que tout c'que j'ai vu et entendu avant.

— Lorsque j'ai vu le portrait pour la première fois, j'ai eu un peu la même réaction que toi. Haïti, c'est la première république noire au monde à avoir connu l'abolition de l'esclavage. Ça s'est passé il y plus de deux cents ans. C'est dur parfois de se l'imaginer. En voyant ce portrait, c'est comme si ça devenait plus réel. J'comprends c'que tu veux dire. Depuis que je l'ai reçu en héritage après la mort de *Grann*, à chaque fois que je m'apprête à porter une coiffe, j'le regarde, pour me rappeler notre histoire. Savais-tu que la coiffe, c'était un symbole de frustration des Noirs durant l'esclavage ? Porter un chapeau était un privilège réservé aux Blancs.

Ma mère prend son foulard. Lentement, elle se met à plier, replier, tourner, tordre le tissu. Il est de couleurs criardes dans les teintes de jaune, rouge, bleu et vert. Elle cherche à créer un nouveau style spécialement pour l'anniversaire des quarante ans de mon père. Tout en se regardant dans le miroir au-dessus de la commode, elle répète exactement les mêmes gestes avec le tissu sur sa tête. Lorsqu'elle a terminé, elle se tourne vers moi. L'effet est spectaculaire. La coiffe fait au moins 20 centimètres au-dessus de la tête de ma mère. Elle se tient très droite, le buste bombé. La coiffe met en valeur la beauté des traits de son visage : ses joues toutes rondes, son sourire généreux, ses grands yeux entourés de cils longs et soyeux.

Tout en observant ma mère, je réalise que *Grann* ne m'avait jamais parlé de l'esclavage. Elle, si bavarde.

* *
*

Je regarde les guirlandes de lumières multicolores accrochées dans le salon. C'est comme si c'était Noël, sauf que les sons entremêlés du trombone, de la trompette et du saxophone rappellent les chaudes soirées du Sud. Je reconnais l'air du *kompa* qui invite les hanches et les épaules à se dandiner sans se presser. Immanquablement, ça me fait penser à ma grand-mère, à une soirée en particulier durant l'un des deux seuls voyages que j'ai faits en Haïti.

Il faisait chaud. Un vent léger remuait à peine les feuilles des cocotiers. Les membres de la famille et les voisins dansaient avec entrain dans une petite cour à l'arrière du restaurant de la tante Rita. *Grann* m'avait demandé pour aller faire un *ponponn*[2]. J'avais offert mon bras à ma grand-mère. Je savais qu'elle aimait ça.

– Ça fait distingué, s'amusait-elle à répéter.

Le ciel était si étoilé que ma grand-mère et moi semblions être des célébrités avançant sous les feux des projecteurs.

– Mano, est-ce que je t'ai déjà dit que le *kompa* avait été inventé pour moi? Pour mes vieux jours? Écoute comme son rythme est plus lent que celui du merengue. Oh! Comme j'aime ses allures jazzées, s'exclama-t-elle, tout en soulevant ses bras dans les airs.

Il n'en avait pas fallu plus pour qu'elle se mette à danser. Elle m'avait invité à la rejoindre en faisant une petite révérence. Je l'avais saluée à mon tour. Nous avions dansé longtemps en riant et blaguant.

Je souris. Lorsque mon regard revient sur les petites lumières colorées du salon, l'absence de *Grann* me frappe, brutalement. Mon ventre se serre. Elle ne sera jamais plus là pour danser avec moi le *kompa*. Je me sens triste. Grann me manque terriblement en ce soir de fête. Elle aurait appelé ce soir et pour ma fête, l'été passé. C'est la première fois qu'elle ne chantera pas sa chanson à Noël. Je me retiens pour ne pas pleurer. Je ne veux pas gâcher la fête de mon père.

Je dirige mon regard vers mes parents. Je les distingue mal, car la lumière est tamisée et

---

2. Promenade.

Les voies du slam

que mes yeux sont embrouillés. Ils viennent de terminer leur danse. Ils rient. Il y a longtemps que je ne les avais pas vus aussi heureux! Je m'essuie furtivement les yeux et fais un effort pour sourire. Mes parents s'échangent un baiser rapide, puis ma mère court à son fourneau. Il y a une odeur appétissante de *griot*[3] qui ouvre l'appétit. Elle me fait un signe en direction du frigo. Je vais prendre LA bouteille de bière et viens l'offrir à mon père.

– Oh! Mano. La Prestige, ma belle blonde. Merci, *Tyo*!

Il a un large sourire. Quel contraste avec le visage sérieux qu'il affiche la plupart du temps! Je regarde en direction de ma mère.

– C'est grâce à maman. C'est elle qui a fait un détour à l'épicerie haïtienne en revenant de travailler hier soir. Je te dis qu'elle en a fait des efforts pour ta fête!

Je regarde mon père détendu, sirotant sa bière. Je ne peux m'empêcher de remarquer encore une fois comme son regard est changé. Toute sa mélancolie habituelle semble avoir disparu.

Mon père se tourne vers moi, de la fierté dans le regard.

– *Tyo*, tu as encore un tas de choses à apprendre, mais je voulais te dire que tu es un bon fils, grâce à Dieu.

Il se tourne alors vers ma mère affairée avec le dîner. Ses yeux sont maintenant brillants comme ceux d'un jeune marié.

– *Ti-amour*, comme tu es belle ce soir avec ta nouvelle *tilane* lilas. Ta coiffe a vraiment du style! Je parie que ton amie Ginette y est pour quelque chose. Depuis son retour d'Haïti, votre

---

3.   Porc rôti.

seul sujet de conversation, c'est la Boutique Bozabi de Pétion-Ville.

Ma mère affiche un grand sourire. Elle fait quelques pas en faisant semblant qu'elle est un mannequin. Elle bouge ses belles épaules dorées, l'échancrure de la dentelle les mettant bien en valeur. Elle se tient de façon à ce que la coiffe soit bien droite sur sa tête. J'admire sa coiffe. Je suis fier de ma mère.

Mon père arrive derrière elle, lui passe les bras autour de la taille et lui donne un baiser dans le cou. Elle se retourne en riant.

– C'est presque prêt, *ti-cheri*. Va t'asseoir. Mano, viens m'aider à tout apporter sur la table, s'il te plaît.

J'apporte les plats d'accompagnement, puis le fameux plat de griot. Ma mère commence à servir. La table déborde. Elle place plusieurs morceaux de griot dans l'assiette de mon père.

– *Ti-cheri*, j'ai mis beaucoup de poivre, je crois que tu vas aimer. Tu choisis ce qui te fait plaisir.

Mon père choisit un mélange de fèves rouges et de riz, des *bannan peze*[4], du pudding de maïs et, bien sûr, le fameux *bobori*. Je suis bien d'accord avec mon père sur un point, c'est ma mère qui fait le meilleur *bobori*. Aucune comparaison avec les pains et les galettes des épiceries d'ici.

– Mano, combien de morceaux de griot veux-tu ?

– Un peu plus que papa ?

Je suis tellement excité et affamé que je ressemble à un petit enfant. Je frappe des pieds sur le plancher, mes grandes jambes cognent la table

---

4.   Bananes plantains.

tandis que je serre fort dans mes poings ma four-
chette et mon couteau debout bien droits.

C'est un festin dont toute la famille se sou-
viendra longtemps, mais personne ne sait encore
pourquoi.

Mon père est assis sur sa chaise, repu, une
main sur son ventre.

– *Ti-amour,* tu t'es surpassée. Ton griot et ton
bobori étaient *gou*!

Pendant que ma mère débarrasse la table
avec gaieté, je me lève prestement et vais dans ma
chambre. J'en profite pour regarder discrètement
sur mon portable. Quatre messages! Je leur ai
dit que je ne pouvais pas y aller. Pourquoi est-ce
qu'ils me dérangent comme ça?

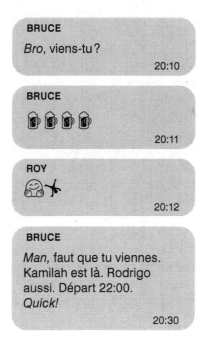

Je suis abasourdi. Kamilah a décidé d'aller à la fête! Rodrigo est là. Merde!

J'entends les pas de mon père. Je me relève rapidement la tête tout en fourrant mon portable dans la poche de mon pantalon.

Mon père est debout tenant fièrement une bouteille de rhum, le bras bien haut dans les airs.

– Barbancourt! Ça, *Tyo*, c'est le meilleur rhum d'Haïti et probablement...

– Le meilleur au monde. Je sais, papa, dis-je en m'efforçant de prendre un air joyeux.

« Si Rodrigo est là, je dois absolument y aller. Je ne peux pas les laisser fêter ensemble toute la soirée. Depuis ma présentation qu'elle a eu l'air de trouver vraiment nulle ou, du moins, ça ne l'a pas intéressée du tout, elle ne me regarde même plus à l'école. »

– Mano, tu en veux? me demande mon père avec entrain. Allez, fais-moi plaisir. Ce n'est pas tous les jours qu'on ouvre une bonne bouteille comme ça et que je t'en offre!

Je lui réponds d'un ton un peu agacé.

– OK. Juste un peu.

Mon père me verse à peine trois gorgées. En me tendant mon verre, il m'interroge:

– Quelque chose ne va pas, Mano?

– Non, papa, c'est vraiment une belle soirée!

– C'est aussi ce que je pense! Et qui dit rhum haïtien, diiiiit *twasèt*!

Mon père fait apparaître le jeu de cartes qu'il avait caché dans la poche de sa chemise.

– Marie, est-ce que tu viens jouer avec nous?

– J'arrive! répond ma mère en revenant avec empressement de la cuisine.

Au passage, elle me donne un baiser et un autre à mon père, puis s'assoit.

— Et voici ton verre, *ti-amour,* dit mon père.

— Santé, mon amour, pour tes quarante ans ! lance ma mère en levant son verre.

— Santé ! répétons-nous en cœur, mon père et moi.

C'est enfin la troisième manche de *twasèt*. Le temps n'est jamais passé aussi lentement pour moi. Ça me paraît encore plus long que lorsque j'ai dû attendre toute une soirée et une partie de la nuit aux urgences pour mon bras cassé, après mon tournoi de basket contre les Ravens. Je dépose mes cartes à l'envers sur la table.

— Il faut que j'aille aux toilettes.

Je quitte la table. Mes parents me regardent à peine : ils sont occupés à mettre de l'ordre dans leurs cartes tout en poursuivant l'énumération des meilleurs moments de la vie de mon père.

Ça me donne un peu de temps.

Je regarde mon portable : 21:45.

Je dois absolument écrire à Bruce. Mais qu'est-ce que je vais lui dire ? Il ne sera pas capable de retenir Kamilah. Elle se fiche de lui et de moi. Je dois absolument aller les rejoindre tout de suite, sinon elle sera déjà partie.

Je me regarde dans le miroir. J'ai le visage tout tendu. Je n'arrête pas de me passer la main dans les cheveux. Je sens mon pouls qui accélère.

Merde, mon t-shirt est tellement *basic*. J'ai l'air affreux avec mes trois boutons sur le menton. Et qu'est-ce que je vais dire à mes parents ? Ils vont me tuer. Surtout papa. Je n'ai pas le choix. Oh ! Ça va être le bordel.

Je retourne voir mes parents. Je marmonne.

– C'était vraiment une super fête.

Mes parents ne semblent même pas m'avoir entendu. Ils continuent de se parler en riant.

Je reprends un peu plus fort.

– Excusez-moi, mais je dois partir.

Tout d'un coup, mes parents deviennent complètement muets. Ils se regardent, ahuris, puis se tournent en même temps dans ma direction. Je suis paralysé.

– Partir où ? Mais c'est la fête de ton père ! argumente ma mère tentant d'utiliser son ton doux.

– On n'a même pas fini la partie ! s'exclame mon père, incrédule.

Je réponds d'un ton hésitant.

– C'est que Bruce vient de me texter et il a besoin d'aide.

– On est samedi soir. Besoin d'aide pour quoi ? demande mon père déjà impatient.

– Pour réviser son examen pour lundi matin. Il a beaucoup de mal en math.

Je sens que je suis foutu. Je ne sais plus quoi dire.

– Depuis quand faites-vous des devoirs le samedi soir ? dit ma mère.

– Il est occupé toute la journée demain et il est seulement disponible ce soir et…

Je regarde le plancher.

– Mano, je ne te reconnais plus. Pourquoi est-ce que tu nous montes un bateau comme ça ? interroge mon père qui semble sur le point de réellement s'énerver.

– C'est la fête de ton père, Mano. Quarante ans. Tu ne peux pas lui faire ça, nous faire ça !

Une image de Kamilah en train de rire des blagues de Rodrigo me vient en tête. Je relève la tête et regarde mes parents, bien droit dans les yeux.

— Il faut absolument que je parte. Je vous expliquerai plus tard.

Sans réfléchir davantage, j'ouvre la porte, sors et descends les escaliers en courant.

« Je ne peux pas croire que je sois en train de m'enfuir. »

J'entends mon père crier.

— *Wouch! Wouch! Wouch!* Je suis fâché!

Jamais il ne m'a crié dessus en créole.

Je sais que les conséquences seront majeures, mais je décide de mettre mes appréhensions de côté, car je dois me concentrer sur ce que je vais dire à Kamilah. C'est ce qui est le plus important pour le moment. Peut-être que Rodrigo a déjà réussi complètement à la séduire. Mon cœur se débat dans tous les sens. Rodrigo est l'un des plus beaux gars de l'école. Je me mets à courir encore plus vite.

Pourvu que je n'arrive pas trop tard.

CHAPITRE 15

Le party

Farana habite sur la 110ᵉ rue au nord de Central Park. Je ne connais pas Farana même si je l'ai déjà vue à l'école. Elle est plus vieille que moi. C'est une amie du grand frère de Roy, Ronny. Ce dernier a parlé de la fête à Roy en lui disant que c'était un *open house*. Les parents de Farana ne seraient pas là, alors il allait y avoir plein de monde. Une vraie fête quoi. Mais il ne fallait pas qu'il en parle trop. Roy nous en a bien sûr glissé un mot à Bruce et moi. Kamilah m'a aussi dit qu'elle y serait. C'est ce soir que je comptais me rapprocher d'elle. Mais maintenant que Rodrigo est là…

L'appartement de Farana est à quinze blocs exactement. Je n'en ai parcouru qu'un seul, que je dois déjà ralentir ma course. L'agitation incessante de la 125ᵉ rue, en cette soirée d'automne trop chaude, me frappe. Les faisceaux des lampadaires, des feux de circulation et des phares des voitures m'aveuglent. Je me résigne à marcher pour réussir à me faufiler.

Plusieurs personnes sortent et entrent des restaurants et des bars. Des locataires sont assis, côte à côte, sur leur chaise le long du trottoir devant leur bloc appartement. Ils parlent tranquillement tout en observant les gens et les voitures défiler devant eux. Les taxis jaunes et les sedans noirs sont nombreux, prêts à embarquer toute la foule enjouée qui sort du Apollo Theater. Des sons de saxophone et de batterie proviennent du célèbre club de jazz Paris Blues.

En traversant la 122e rue, je peux enfin reprendre ma course.

Vite! Je n'ai plus une minute à perdre!

Je cours à toute allure. Je sens rapidement mon t-shirt se couvrir de sueur. Je dévale l'avenue Morningside Heights, du nord au sud, comme si c'était la course de ma vie.

Plus longtemps je suis absent, plus il y a de chances que Kamilah tombe sous le charme de Rodrigo.

Je regarde mon portable : 9:50.

Je suis rendu à la 117e rue. Plus que sept rues.

Je suis fatigué. J'ai fait plus de la moitié. Ce n'est pas le temps que je lâche.

Je réussis à accélérer, un tout petit peu.

113e rue. C'est ici que l'avenue Morningside Heights devient l'avenue Manhattan. Plus que trois rues.

Je fais un sprint final. Je suis Usain Bolt. Je ne me rappelle pas avoir couru aussi vite de toute ma vie, pas même lorsque mon équipe, les Sharks, n'avait que vingt secondes pour briser l'égalité avec les Ravens. Je sens mon souffle aussi rapide et fort que celui de mon père lorsqu'il doit monter les escaliers alors que l'ascenseur est en panne.

Je tourne à la 110ᵉ rue. Seulement deux tours à appartements me séparent de chez Farana. Je m'arrête. Je peine à respirer.

« Il faut que je me calme, sinon je vais passer pour un con. »

Je tente de prendre une très grande inspiration.

« Il faut que je me calme. »

L'image de mon entraîneur de basketball, un grand homme costaud au visage bienveillant, me vient alors à l'esprit. Sa main ferme, mais rassurante, est posée sur mon épaule. Il me dit d'un ton de basse :

– *Calm down. BREATHE INNN...*, Mano. *BREATHE OUTTT...*, Mano.

En un rien de temps, redevenu *cool*, je marche tranquillement en direction de la fête, comme si quelqu'un venait de me déposer en voiture au coin de la rue. Déjà, j'entends du rap en provenance du bloc appartement où habite Farana.

En arrivant devant l'édifice, je vois dehors sur le trottoir de petits groupes de jeunes qui fêtent, bouteille de bière à la main. Soudain, j'entends beaucoup de bruit et quelques cris même. Alors que je dirige mon regard vers le haut, je n'en crois pas mes yeux. Au cinquième étage, le balcon de fer mince et étroit réservé pour les sorties de secours est maintenant rempli à craquer de silhouettes. Je me demande s'il ne va pas s'effondrer. Le ton des voix monte rapidement. Le lampadaire de la rue éclaire très fort dans la nuit noire. Je place ma main en forme de visière sur mon front afin de mieux voir. Mais je suis incapable de distinguer un visage familier parmi tout ce mélange de garçons, de filles et de fumée. Une odeur beaucoup plus forte que celle de la cigarette entre dans mes narines. Je reconnais cette senteur. C'est exactement la même que lors d'une des fêtes de Ronny, le grand frère de Roy. Exceptionnellement, j'y avais été invité. Certains jeunes plus âgés avaient fumé du cannabis.

Je cesse de fixer le balcon et baisse les yeux. Bruce et Roy sont devant moi, apparus comme par magie. Ils ne tiennent pas en place, les yeux brillants d'excitation.

– Hey, *man*, s'exclame Roy en se tenant sur une jambe. *Sup, man*, continue-t-il sautillant sur l'autre jambe, en tournant sa casquette par en arrière.

Il semble qu'il soit parti pour continuer ses *moves* comme ça toute la soirée. Bruce, de son côté, a les bras dans les airs, comme s'il s'apprêtait à faire un *rap*. Tous les deux sont vêtus d'une chemise large et décontractée comme les rappeurs. Je suis jaloux. 10.Deep. Cette marque est tellement *cool*. Mon reflet dans le miroir me revient en plein visage. J'aurais vraiment dû me changer avant de partir.

– *Hey, bro*, si tu voyais ça. C'est *so sus*[5], dans l'appartement, s'écrie Roy, en tournant sa casquette par en avant. Ç'a complètement dégénéré depuis les cinq dernières minutes. Il y en a qui sont complètement *lit*[6]. On a décidé de continuer le party dehors.

« Kamilah ? Où est Kamilah ? Pourvu qu'il ne lui soit rien arrivé. »

Je les interroge avec un ton que je veux calme pour cacher mon inquiétude.

---

5.   Tellement suspect.

6.   Intoxiqués.

– Est-ce que Kamilah est encore là-dedans ?

– *No*. Elle, Sasha et Yusi viennent de partir pour rentrer à la maison. Elles n'aimaient pas du tout la tournure qu'a prise le party, répond Bruce.

Au même moment, dans le bruit de toute cette cohue, je crois entendre le son de deux sirènes. J'écoute plus attentivement. Ça semble provenir des alentours du Morningside Heights Park, juste à côté. Le son devient de plus en plus fort. J'aperçois des phares de voiture se déplaçant en direction nord-sud sur l'avenue *Manhattan*, comme moi, il y a de cela à peine dix minutes. Comme dans un mauvais rêve, je vois alors les phares qui tournent vers la 110e rue, dans la direction du party. Vite, je réalise que ce sont les phares d'une voiture de police. Une deuxième voiture apparaît derrière. Je suis figé sur place et fixe les deux voitures de police qui terminent d'effectuer leur virage. La police a été appelée pour faire une descente dans cet appartement, c'est sûr. Les jeunes qui étaient dehors courent maintenant dans tous les sens pour s'enfuir avant que la police n'arrive. J'entends distinctement les cris des jeunes sur le balcon et peux voir leurs mouvements désordonnés alors qu'ils tentent de se sauver. Tous se bousculent. Il y en a qui tirent sur les vêtements des autres pour s'échapper plus vite. Je me demande s'il y a des jeunes qui pourraient tomber du balcon. C'est le désordre total.

C'est alors que Bruce me tape sur l'épaule, puis se met à courir en direction de la ruelle juste à côté du bloc appartement de Farana. Je sors de ma torpeur et cours, Roy à mes talons. Nous courons et courons et courons sans jamais nous retourner. Si la police nous a vus, elle saura tout de suite que nous faisions partie de la fête et elle va nous arrêter comme elle s'apprête à le faire avec tous ceux qui sont encore dans le coin. J'entends derrière moi les deux voitures de police qui freinent rapidement à la hauteur de chez Farana. Le son de leur sirène s'est arrêté. Malgré la distance, je perçois le mouvement des faisceaux des gyrophares demeurés allumés. J'imagine les policiers sortant de leur voiture et demandant à tous les jeunes de ne pas bouger. Oui, ils seront sûrement tous arrêtés. Pourvu que les policiers ne nous aient pas vus partir en courant.

« J'ai peur. Il ne faut surtout pas que je me retourne. »

Une image me vient à l'esprit. Je suis en train de travailler dans un McDonald's. J'ai des cheveux blancs et un air déprimé.

« Je ne peux pas me faire prendre par la police. Je ne peux pas, ma vie serait finie. Je prends la tête du peloton. »

Après avoir couru ce qui me parut comme une éternité, je vois Roy tourner à gauche dans une petite ruelle et se mettre à ralentir. Bruce et moi adoptons son rythme. Une dizaine de mètres plus tard, nous nous arrêtons.

Les mains sur nos cuisses, tous les trois, nous sommes courbés, pareils à des *sprinters* à la ligne d'arrivée. Je n'entends rien d'autre que mon souffle court et fort s'entremêlant à celui des deux autres. Chacun tente de retrouver le sien. Peu à peu, il n'y a plus aucun bruit.

Après avoir bien observé tout autour, je regarde Bruce et Roy.

– Ohhh! On l'a vraiment échappé belle. J'ai eu la peur de ma vie. Je ne sais pas combien de jeunes ont été arrêtés. Il y avait plein de bouteilles de bière même sur le gazon et ça sentait tellement le pot. Si jamais la police m'avait arrêté, mes parents ne m'auraient jamais laissé aller à un party avant que je sois un adulte ! Vingt et un ans !

– *Me too*, enchaîne Roy. Je pense que c'est tout le bruit qui a attiré la police.

Une chance que tu nous as secoués, Bruce. J'étais complètement paralysé.

Bruce ajoute :

– *Well*…

Powf ! Powf ! Powf ! Silence. Powf ! Powf ! Les coups de feu semblent provenir des alentours de l'appartement de Farana. Mes amis et moi nous dévisageons, sans parler. Roy ne cesse de cligner des yeux. Bruce semble à nouveau à bout de souffle. Je sens mon corps trembler de tout son long. Personne ne bouge. Nous attendons. Nous ne savons pas quoi. Mais nous attendons.

– *Nooooooo* ! *Noooooo* ! crie une voix de jeune fille.

Je tremble encore plus. Dans ma tête me revient l'image vue tant de fois à la télévision d'une mère criant sans arrêt alors qu'elle tient dans ses bras son fils mort dans une zone de conflit.

Le même cri déchirant et inhumain se fait entendre à nouveau, mais provenant d'une autre personne, puis d'une autre, encore d'une autre, jusqu'à former des vagues de cris s'enchaînant les unes après les autres comme un tir de canon qui ne se terminerait jamais. Je voudrais me boucher les oreilles pour tout oublier. J'aperçois alors le visage de Bruce et remarque ses yeux très, très sombres et son visage grave et triste. Son corps est tout courbé, comme s'il venait de recevoir un gros coup de poing dans le ventre et qu'il faisait un effort surhumain pour contenir sa douleur. Puis, en une fraction de seconde, son visage devient complètement fermé, son regard est dur, comme si toute trace de souffrance avait disparu d'un seul coup.

— Quelqu'un de la fête vient de se faire abattre par la police. Il doit y avoir au moins un mort. *Dead* !

Je m'exclame aussitôt :

— Bruce ! *No* ! Tu ne peux pas dire des choses comme ça. On n'a pas encore de preuve.

Je ne veux pas croire mon ami, même si je sais qu'il a probablement raison.

— *Yes*, Mano. J'en suis sûr.

Bruce parle d'un air décidé sans la moindre hésitation.

— J'ai déjà entendu exactement la même chose, chez mes grands-parents, en Nouvelle-Orléans, l'été dernier. Powf, powf, powf. Puis, des cris de morts-vivants.

Bruce ajoute très lentement.

— *No*. C'est pas le genre de chose que tu oublies.

— Ce n'est peut-être pas ça. *Maybe*. Pas comme ce qui vient de se passer ici.

Je tente désespérément de me rassurer.

— C'était durant un party comme ce soir, Mano. Mon cousin avait décidé de rentrer chez lui. Il transportait un petit télescope dans la poche de son pantalon. Il a toujours voulu voir les étoiles, même s'il habitait en ville. Les policiers ont pensé que c'était un pistolet. Il s'est fait tirer dessus et il est mort sur le coup. *Dead*.

– *Guys*, je viens de recevoir un texto de Yusi, dit Roy, d'une voix tremblante.

Il nous montre l'écran de son portable.

YUSI

1 *dead*
Kamilah + moi de retour
pour voir c qui . *Come!*

22:27

« Je ne peux pas y croire. C'est pire qu'un cauchemar. »

Je vois Roy qui commence déjà à rebrousser chemin, suivi de Bruce. Le premier cri strident « *Noooooo!* » me revient en boucle dans ma tête. Mes jambes finissent par avancer. J'ai pris du retard sur mes amis.

« Je n'ai pas le goût de retourner là-bas. J'ai peur de ce que je verrai en arrivant. C'est peut-être quelqu'un que je connais. C'est peut-être quelqu'un que je connais vraiment bien même. J'ai déjà entendu des coups de fusil, des histoires où une personne s'était fait tuer. Mais ça n'a jamais été quelqu'un de très près de moi. Je ne suis jamais allé sur une scène de crime. Peut-être y aura-t-il beaucoup de sang ? La seule personne que je connais et qui est morte, c'est *Grann*, ma grand-mère. Cela avait été très dur. Mais tout le monde savait qu'elle allait mourir à cause de sa leucémie... Ça aurait même pu être moi qui me fasse tuer. »

Je regarde mes deux amis. Je cours les rejoindre. Nous marchons tous les trois ensemble, côte à côte, les mains dans les poches, la tête baissée, en silence, d'un pas un tout petit peu plus rapide.

Les lumières des gyrophares sont toujours allumées dans leur perpétuel mouvement de carrousel. Contrairement à la foule d'il y a moins d'une heure, il ne reste que quatre ou cinq jeunes, tous silencieux. Roy décide de s'approcher d'un grand gars habillé d'un t-shirt et d'un jeans, assis sur le trottoir, qui fume une cigarette nonchalamment. Son visage est caché par une casquette des Knicks de New York comme la mienne, bleue avec un ballon de basket orange sur le dessus.

– *Hey, bro*, est-ce que tu sais où est passé tout le monde ? Est-ce que c'est vrai qu'il y a quelqu'un qui est mort ? Est-ce que c'est quelqu'un de la fête ?

Le jeune homme remonte la tête pour regarder Roy qui est demeuré debout. Son visage est baigné de larmes. Dans le silence le plus complet, il lève avec lenteur son long bras gauche, puis pointe son index en direction du boulevard Frederick Douglass (8e avenue), qui est le prochain coin de rue.

Je marche dans cette direction. Puis, j'accélère. Bruce et Roy me suivent. L'attente m'est maintenant devenue insoutenable. Je veux savoir ce qui s'est passé.

CHAPITRE 16

La scène du crime

Boulevard Frederick Douglass. Bruce, Roy et moi sommes presque rendus. Je m'arrête. Trois voitures de police et une ambulance se trouvent au coin de la rue. Comment ai-je pu demeurer sourd aux hurlements d'autant de sirènes ? Les lumières rouges, bleues et jaunes des véhicules, mélangées aux reflets des lampadaires, me rappellent des scènes de crime de mes émissions de télévision fétiches : *CSI:NY* et *Sherlock*.

Sauf que, pour le coup, c'est vrai. NBC, CBS, ABC : trois camions des plus grosses chaînes de télévision sont garés non loin. *Danger, Danger, No Trespassing*, sont inscrits sur des rubans jaunes et rouges suspendus délimitant un périmètre de sécurité. Avec leur bouche dure et leur regard sévère, dix policiers font le guet, bien rangés l'un à côté de l'autre. Une petite foule est attroupée, des jeunes en majorité qui s'étreignent. Plusieurs pleurent.

De son index tremblant, Bruce pointe au loin. Mes yeux scrutent. Une civière portant un corps couvert d'un drap blanc. Deux ambulanciers. Le corps est avalé par la porte arrière de l'ambulance.

Je me croirais dans un film. Je ne peux pas croire que c'est vrai.

Comme attiré par la civière, je me rapproche, jusqu'à ce que je touche le ruban de sécurité. Aussitôt, un policier me fait signe. Je recule. Une casquette qui traîne par terre me fait trébucher. En la ramassant, je reconnais les lettres blanches N et Y entremêlées des Yankees de New York. À mes côtés, un garçon fixe l'ambulance. Bien qu'il soit placé de biais, je vois le signe des Yankees sur son t-shirt.

— *Hey, bro.* Est-ce que c'est à toi la casquette ?

Je ne sais pas trop pourquoi, mais malgré toute cette commotion, j'ai presque chuchoté ma question. Le garçon ne bouge pas. Je pose ma main sur son bras. Le garçon se tourne vers moi. De longues larmes coulent sur ses joues.

— Je l'ai trouvée par terre, dis-je doucement en montrant la casquette. C'est à toi ?

— *Yes. Thank you.*

— Moi, c'est Mano. *And You* ?

— Michael.

— Tu connaissais la personne qui s'est fait tuer ?

— *No.* Je sais juste qu'il avait mon âge.

Je demande d'une voix que j'essaie de maintenir calme et régulière.

— Est-ce que tu sais ce qui s'est passé ?

— *Yes !* Est-ce qu'on sait qui est mort ? s'exclame Roy d'une voix forte et aiguë.

Je sursaute. Roy est juste derrière moi. Bruce est à ses côtés. Michael murmure :

— Rodrigo. Il s'appelait Rodri...

– Rodrigo ? interrompons-nous, Bruce, Roy et moi en même temps.

Une mince lueur est apparue dans les yeux de Michael.

– *Yes*. Rodrigo Brooks. Vous le connaissiez ?

– *Sure !* Il va à notre école, répond Roy avec une légère pointe de fierté.

– Il était dans notre classe, s'empresse d'ajouter Bruce d'un ton qu'il veut plus calme que Roy. Est-ce que tu sais comment c'est arrivé ? *Do you know how ?*

– *The police*. Il y a des gens qui m'ont dit qu'un policier l'a tiré cinq fois. Je n'ai rien vu. Il y en a qui disent qu'il a essayé de se sauver lorsque les policiers sont arrivés au party.

Je n'arrive pas à m'imaginer que c'est Rodrigo qui est mort, immobile, allongé sur la civière, sous le drap. Sa casquette des Knicks bleue avec un gros ballon de basketball orange me revient en mémoire. Jamais Rodrigo ne sortait de chez lui sans avoir sa casquette sur la tête. Chaque fois qu'il entrait dans la classe, il la faisait toujours tourner sur son doigt, puis la lançait dans les airs pour l'attraper avec sa tête sous le regard admiratif des filles (et du mien).

« Mais Rodrigo, couché sur la civière, s'il avait encore eu sa casquette sur sa tête, cela aurait formé une bosse à l'une des deux extrémités ? Ou si quelqu'un avait déposé sa casquette sur son ventre, j'aurais vu un petit monticule s'élever sous le drap au milieu de la civière ? Non, Rodrigo n'a plus sa casquette. Rodrigo est seul sur sa civière. »

Je sens mes yeux s'embrouiller et mon corps trembler.

« Mais il a besoin de sa casquette. Il faut qu'il l'ait. »

J'éclate en sanglots. Le visage dans mes deux mains, je me mets à faire un pas en avant, un pas en arrière. Bruce passe un bras autour de mes épaules.

– *Man*, je sais que c'est difficile. La même chose avec mon cousin.

Bruce se mord les lèvres.

Je regarde Bruce.

– Rodrigo, ce n'était pas mon cousin. Ce n'était même pas mon ami. En tout cas, pas comme toi et Roy. Mais j'arrive pas à m'imaginer qu'il est mort. C'est pas juste.

Je me remets à pleurer.

Seul à côté de nous, Roy commence à pousser de petits cris qui se transforment en gémissements de plus en plus bruyants. C'est un mélange de larmes et de reniflements très sonores. Bruce ne sait plus où donner de la tête. Il trouve un vieux mouchoir, qu'il juge tout de même propre, dans le fond de son pantalon. Il le tend à Roy qui se mouche avec un vacarme assourdissant.

J'en oublie mes pleurs. Je me tourne vers Roy, dépité. Puis, je regarde Bruce. Mes amis sont là. Je respire mieux.

– Roy! Roy! crie une voix de fille mi-essoufflée, mi-agitée.

Bruce, Roy et moi nous retournons. Nous distinguons Yusi et Kamilah qui vont au pas de course. Elles arrivent à l'intersection de la 109e rue et du boulevard Frederick Douglass. Moi puis Roy tentons d'essuyer toute trace de nos émotions. Dès qu'elles sont à notre hauteur, tous les trois nous sommes raidis et jetons un regard sur Kamilah que nous détournons rapidement.

– *What*? Qu'est-ce qui se passe? Pourquoi est-ce que vous agissez si bizarrement? Est-ce que vous savez qui est mort? demande Kamilah d'un ton impatient et sec.

Je sens sa peur. Ses yeux sont immobiles et si grands ouverts que ses pupilles ressemblent à de petites billes placées au beau milieu d'un océan blanc. Elle fait deux pas en direction de Bruce, qu'elle dévisage. Il demeure impénétrable. Puis, elle se tourne vers Roy qui se mouche de plus belle. Moi. Elle plante ses yeux dans les miens. Je ne sais plus où regarder.

– Mano, *stop*! Arrête de faire semblant que tu ne me vois pas. Je te connais assez pour savoir que tu me caches quelque chose. Dis-moi tout de suite ce qui se passe.

Pendant quelques secondes, personne ne dit rien, sauf Roy qui vient de commencer à faire des sons nerveux (et énervants!) avec sa langue.

Je m'approche de Kamilah. Je commence à lui parler en français, comme on fait d'habitude lorsque nous sommes juste tous les deux. Les parents de Kamilah sont Camerounais et il n'y a qu'avec elle à l'école que je peux parler en français.

– Kamilah, il y a quelqu'un qui a été tué.

– Je le sais, Mano. C'est Yusi qui vous l'a annoncé par texto. J'étais avec elle.

– Hum... Je sais que tu le sais.

Un court silence.

– Mais Kamilah, ce que tu ne sais pas... ce que j'essaie de te dire... c'est qu'on sait qui a été tué.

– Oh… Est-ce que tu connais la personne ?

– Oui.

– Est-ce que je la connais aussi ?

– Oui, Kamilah.

– C'était quelqu'un de la fête ?

Je fais signe que oui avec ma tête. Kamilah ralentit son débit.

– C'est un élève de notre école ?

Je refais le même signe affirmatif, mais avec lenteur tout en regardant Kamilah droit dans les yeux.

Kamilah parle d'une voix hésitante.

– Mano… c'est qui ?

Je me mets à fixer le sol. Silence. Je sais que chacun a son regard tourné vers moi.

J'ai peur de lui dire. Je ne sais pas comment faire. Elle va s'effondrer de tristesse.

L'image de *Grann* me vient en tête. Elle soulève son bras avec grâce, comme si elle dansait. Sa main se pose d'abord sur son cœur, puis sur sa bouche, me soufflant un baiser avant de disparaître.

Je relève la tête. Je pose mes mains sur les épaules de Kamilah, la regardant droit dans les yeux.

– Kamilah, c'est Rodrigo qui a été tué. Je suis vraiment désolé.

Kamilah porte ses mains à sa bouche et laisse échapper un « Nooon » d'une toute petite voix. Elle se met à pleurer, sans bruit, tout en me fixant du regard. Je ne sais pas trop quoi faire. Je tente de la prendre dans mes bras pour la réconforter. Kamilah recule. Elle me regarde en faisant non de la tête tout en prononçant de petits « non, non, non ».

– Kamilah.

– Non, Mano. Tout est de ma faute. Je n'aurais jamais dû parler à Rodrigo de cette fête.

– Kamilah, c'est pas de ta faute.

– Lorsque Yusi et moi avons voulu partir, il m'a dit qu'il allait prendre un autre chemin, car il avait une petite commission qu'il devait faire avant de rentrer chez lui. Je n'ai jamais pensé qu'il pouvait être la victime. Si je ne lui en avais pas parlé, il ne serait pas venu et il....

Kamilah se met à sangloter très fort, les mains dans son visage, en tournant en rond. Je pose ma main sur son épaule, puis sur son bras, ce qui a pour effet de la calmer. Je la prends dans mes bras tout doucement et lui caresse les cheveux.

Après un instant, je sens le corps de Kamilah se relaxer et ses pleurs, diminuer. C'est la première fois que Kamilah et moi sommes si proches. Je voudrais la serrer encore plus, lui montrer que je l'aime. Mais je me sens coupable étant donné ce qui vient de se passer avec Rodrigo. Tout de même, je l'enlace plus fort pour la réconforter. Kamilah me regarde en se dégageant.

– Mano. Je ne peux pas. Pas tout de suite après ce qui vient d'arriver à Rodrigo. Oh, mon Dieu ! Rodrigo.

Kamilah court dans les bras de son amie Yusi. Toutes les deux, entrelacées, poussent de longues lamentations. Yusi me fait signe de m'en aller.

– *Come*, Mano, dit Bruce, en me prenant le bras. Je pense que tu devrais la laisser seule un peu. Tu lui parleras plus tard.

Je regarde encore une fois en direction de Kamilah. Je croise son regard. Je voudrais tant lui faire comprendre que, si elle a besoin de moi, je suis là, que je comprends qu'elle se sente coupable. Mais Kamilah ne me voit pas. Elles se mettent à marcher en direction opposée.

— *Where is* Roy? interroge Bruce.

Je tourne mon regard vers mon ami, l'air absent.

— Mano, je sais pas où est passé Roy.

Je me sens très fatigué. Lentement, je détourne la tête en direction des voitures de police et promène mon regard tout autour du périmètre de sécurité. Pas de Roy. Je continue à chercher.

« Oh non, c'est pas possible ! »

Je viens d'apercevoir Roy près des camions pour les chaînes de télévision. Il y a un homme qui tient un micro en sa direction. Roy est en train de faire une entrevue. Il semble très à l'aise et très volubile.

— Bruce. *Look.*

— *Oh, man !* C'est pas vrai. Vite, on va le chercher.

Bruce et moi tentons de passer à travers les nombreux curieux avec un peu de peine.

— *Thank you, Sir.* Merci d'avoir interviewé mon ami, mais nous devons partir, s'excuse Bruce, saisissant Roy par le bras.

— *Come on*, Bruce. Je venais juste de commencer à leur parler de nous trois, combien nous étions les meilleurs amis de Rodrigo.

Je m'impatiente en lui prenant l'autre bras.

— Roy, *come.* C'est l'heure de rentrer.

Pris entre Bruce et moi, Roy fait des gestes de salutation avec sa casquette en bougeant sa tête.

— *Good night, Mister* Rogers. C'était vraiment très agréable de vous parler.

Ils n'ont pas fait dix pas que je reçois un texto de ma mère.

MAMAN

J'ai réussi à calmer ton père. Attends-toi à une grosse conversation demain matin. Sois à la maison à minuit.

23:05

« J'avais complètement oublié ça. Merde. Oh, tant pis, je verrai ça demain. »

Je remets mon portable dans la poche de mon pantalon et continue de marcher en silence avec Bruce et Roy.

Nous nous sommes éloignés de la scène du crime. Il n'y a maintenant que les bruits de nos pas lents et rythmés. Notre mutisme dure un bon bout de temps. Roy parle le premier.

– Vous souvenez-vous de toutes les *jokes* que Rodrigo faisait durant les cours ?

– *Yes*. Mais elles étaient souvent mauvaises, dit Bruce.

Après un instant, il ajoute :

– En fait, c'était sa façon de raconter qui était drôle. Il était tellement fier quand il réussissait à faire rire toute la classe. *What a clown!*

Nous continuons de déambuler quelques instants en silence, chacun à nos souvenirs.

– Moi, je trouve qu'il n'était pas juste drôle, il était aussi courageux, *brave*, dis-je. Il n'a jamais eu peur de parler aux profs si un devoir était trop long ou chiant.

Les voies du slam

Nous sommes maintenant rendus au coin de ma rue.

— *Guys*, je dois rentrer. Ma mère a dit minuit. J'ai de gros ennuis avec mes parents.

— OK, ça va s'arranger. Tu sais comment leur parler. T'es toujours gentil avec eux, s'exclame Roy.

— *No.* Pas cette fois-ci. Mais là, avec ce qui vient d'arriver à Rodrigo, mes problèmes avec mes parents peuvent attendre.

*   *

*

En entrant dans la maison, comme à mon habitude, sans bruit, je me rends directement dans ma chambre. Seulement, ce soir, je me doute bien que mes parents ne dorment pas. Mais je n'ai pas la force de les affronter cette nuit.

Couché dans mon lit, je relis les mots du rappeur Vince Staples sur Instagram lorsqu'il avait sorti son album *Summertime*.

> *Summer of 2006, le début de la fin de tout ce que je pensais que je savais. La jeunesse a été volée de ma ville cet été, et je suis seul pour raconter l'histoire. Cela n'a aucun sens, mais c'est parce que rien de tout cela n'en a que nous sommes bloqués. L'amour nous a tous séparés.*

Vince Staples que je n'avais pas écouté depuis plus d'un an. Mais ce soir, j'en ai besoin. J'enfile mes écouteurs.

CHAPITRE 17

Le lendemain

Je remue les orteils, puis m'étire les jambes qui dépassent de mon lit. Je bâille tout en déployant tant bien que mal mes longs bras. Depuis que j'ai seize ans, peu importe où je me trouve, je me sens toujours un peu à l'étroit.

Mon corps s'immobilise tout d'un coup.

« Rodrigo est mort. »

Je me lève en trébuchant sur mon ballon de basket dissimulé sous mon t-shirt. Mes yeux furètent. Rien sur la table de chevet. Je remue mes papiers, crayons et livres qui traînent sur mon bureau de travail. Les poches de mon jeans sont vides.

« Merde ! Où est-ce que je l'ai mis ? »

Mon regard croise ma casquette des Knicks, identique à celle de Rodrigo. Je détourne d'abord les yeux. Puis, je la saisis et la lance à l'autre bout de ma chambre. Elle atterrit sur le sol avec fracas.

« Oh non ! »

Je cours, soulève ma casquette et vois mon portable, vitre contre le sol. Je le saisis avec peur et le retourne.

« Ouf! Il n'est pas cassé. Si jamais… maman aurait été en colère. J'ai assez de problèmes avec mes parents comme ça. »

Je vais sur Twitter.

Je serre mon portable très fort entre mes deux mains.

Je sens tous les traits de mon visage qui sont tendus, tout comme mes épaules.

« C'est la même chose qu'avec le cousin de Bruce. »

ABC News ✓
@ABCNews

La police croyait que #Rodrigo_Brooks allait sortir une arme de sa poche alors qu'il s'agissait d'un petit sac de marijuana. La police a tiré plusieurs coups en état de légitime défense. L'enquête se poursuit. Le maire de New York, @Ronald_Defront, dit vouloir attendre les conclusions, mais se dit consterné par ce drame et s'est excusé au nom des policiers.
#NYCMayor #PoliceBrutality #Black_Lives_Matter

Je sens la colère monter à l'intérieur.

« Il faut que ça arrête. »

J'entends mes parents qui font de plus en plus de bruit dans la cuisine. Ils m'ont laissé dormir, mais je sais que je dois maintenant les confronter. Mais avant, je veux absolument régler un truc. Je vais sur Instagram. Mon regard rivé à une photo de Kamilah, je m'assois sur mon lit.

Toc, toc, toc.

— Mano, viens manger, dit ma mère de l'autre côté de la porte.

« Il faut que je me dépêche. Il y a tellement de choses que je voudrais te dire. En te serrant dans mes bras hier, je ne voulais pas te mettre de pression. Mais je t'aime, Kamilah. Je suis désolé pour Rodrigo, pour la fin d'une vie qui ne devait pas finir si vite, pour le fait d'être nés avec une couleur qui nous poursuit, encore aujourd'hui. Je voudrais te dire que je suis furieux à cause de ce qui s'est passé, que je veux que ça change, que c'est avec toi que je veux venger Rodrigo. »

Toc, toc, toc (plus fort cette fois-ci).

– Mano, viens. Ton père et moi voulons te parler. La *nanna* va être froide.

> **MANO**
>
> Kamilah,
> Je suis désolé pour hier et pour Rodrigo. Je veux qu'on demeure des amis. Hier, c'était seulement sous le coup de l'émotion.
>
> 10:05

« Pff. Je ne suis même pas capable de lui déclarer que je l'aime. Un vrai *jòkman*, dirait papa. »

J'entre dans la cuisine. Mes parents sont assis autour de la vieille table d'acajou. La belle nappe d'hier et tous les beaux couverts ont disparu. Plus aucune trace de l'anniversaire de mon père. Je m'assois. Mon père et ma mère me fixent.

– *Tyo*, nous avons appris pour Rodrigo ce matin. Il était dans ta classe, n'est-ce pas ? demande doucement ma mère.

Je fais un signe affirmatif de la tête en regardant dans mon assiette. J'ai peur de me mettre à pleurer ou à crier. Je ne sais plus comment je me sens.

– Je ne veux pas en parler.

– Mais Mano, je suis…

Mon père fait un signe de la main à ma mère. Elle regarde celui-ci en émettant un « hum » d'impatience et poursuit.

– Mano, je comprends que ce ne soit pas facile un évènement comme ça. Mais il faut que

tu nous parles. Tu dois te sentir... te sentir...
Comment te sens-tu, Mano ?

Oh non, elle a pris son ton de psychologue.
Elle ne va pas me laisser tranquille.

– Maman, j'ai dit que je ne voulais pas en
parler. Pas tout de suite...

Ma mère se lève d'un bond.

– Mano, tu ne peux pas rester muet comme
ça. Parle-moi. Dis quelque chose.

Je sais que ma mère est très inquiète. Mais si je
lui parlais, je sens que je ne ferais que l'angoisser
encore plus, qu'elle ne me comprendrait pas et
que ça ne ferait qu'empirer la situation.

– Marie, calme-toi un peu, intervient mon
père d'un ton doux, mais ferme.

Il serre délicatement la main de ma mère en
la regardant, l'invitant à reprendre sa place. Tout
en s'assoyant, elle ajoute :

– Mano, je veux que tu me parles...

– Dans le journal, interrompt rapidement
mon père, il est écrit que Rodrigo était dans une
fête et qu'il avait un taux d'alcool élevé dans son
sang. Il avait aussi de la drogue dans ses poches.

Je me lève d'un bond. Mon visage est tout
crispé, prêt à exploser.

– Je m'en fous de ce que les journaux peuvent
écrire. Tout ce que je sais, c'est que Rodrigo s'est
fait tirer dessus et qu'il est mort. Figurez-vous que
je m'y suis rendu à cette fête, mais qu'au même
moment les policiers sont arrivés et que j'ai réussi
à me sauver. Rodrigo n'aurait pas dû mourir !

– *Tyo*, nous comprenons que le décès de
Rodrigo soit difficile pour toi, s'empresse d'ajouter
ma mère d'un ton un peu plus calme qu'auparavant. Ça l'est pour nous aussi. Mais ton départ

subit d'hier et cette fête... Nous nous faisons beaucoup de soucis pour toi, Mano.

En entendant ces paroles, je sens une vague de chaleur me monter du bas du ventre jusqu'au visage.

« Ils sont complètement déconnectés. Rodrigo s'est fait buter. Assassiné. Il est mort ! Pour rien ! Parce qu'il est Noir. Et là, tout ce qu'ils trouvent à dire, c'est qu'ils sont inquiets pour moi parce que je les ai quittés vite hier pour me rendre à une fête ! »

— Tu sais que ce n'est pas une bonne d'idée d'aller dans de grandes fêtes comme celle d'hier, que la situation peut se détériorer rapidement, qu'il y avait de l'alcool et même de la drogue. Non. Ce n'est pas une conduite acceptable de ta part. Mano, nous croyons que tu as besoin de réfléchir à ta conduite. J'ai décidé...

« Ça y est, mon père va me demander de rester dans ma chambre pendant au moins un mois, c'est certain ! Fini les amis, le basket, Kamilah. »

— Tu vas m'accompagner à mon bénévolat pour mon quart du samedi matin. Tous les samedis matin jusqu'à Noël.

« C'est ça, tous les samedis... matin ? Est-ce que j'ai bien compris ? »

— Qu'est-ce que tu viens de dire ?

— Mano, hier soir, j'étais fou de colère. Ta mère et moi avons discuté. Et ce matin, nous avons appris au sujet de Rodrigo. Tu n'es plus un enfant. Tu es capable de prendre tes décisions par toi-même. On ne peut pas t'enfermer dans ta chambre tous les soirs pour t'empêcher d'aller à une fête. Mais je peux te montrer que de consommer de l'alcool ou de la drogue peut avoir des répercussions sur toute une vie.

Je regarde mon père, bouche bée. Je m'attendais à une punition, pas à un sermon. Pas de la part de mon père.

— Je veux que tu voies ce que ça veut dire que d'avoir des problèmes d'alcool et de drogue. Tu vas pouvoir rencontrer des gens courageux qui essaient de s'en sortir. Mais c'est très difficile. On commence samedi prochain.

Il se lève de table et met sa main sur mon épaule en me regardant droit dans les yeux.

— Compris ?

— Compris, réponds-je.

Mes parents s'affairent déjà à débarrasser la table.

« Il va falloir que je me lève tôt tous les samedis pendant trois mois. Au moins, je pourrai toujours voir mes amis et Kamilah. Si elle veut encore me voir... »

Je jette un coup d'œil discret à son portable.

« Elle ne m'a pas encore répondu... »

*   *
*

Je suis étendu sur mon lit. Je regarde le plafond jaune. Lorsque j'avais repeint ma chambre, je m'étais dit que cette couleur allait m'aider à me réveiller le matin. Mais ça n'a pas vraiment fonctionné.

« Tu es capable de prendre tes décisions par toi-même. »

Je suis surpris et reconnaissant que mes parents me fassent confiance. Mais je suis aussi fâché contre eux.

« Comment peuvent-ils être si calmes après cette tuerie ? »

Je me lève et vais ouvrir la porte de mon armoire. Je réussis à me faufiler tout au fond en déplaçant mes vieilles chaussures et mes vêtements sales qui traînent par terre. J'aperçois la petite boîte noire.

– La voilà !

Je la dépose sur mon bureau de travail.

Mon téléphone émet un bruit.

J'ai reçu un texto.

« Kamilah ! »

Je sors le portable de ma poche.

BRUCE
Basketball ?
13:00

MANO
K
13:00

ROY
x2
Yes ! J'ai un truc à vous montrer
13:01

Je ramasse ma casquette et l'observe un instant. Je l'enfile et sors de ma chambre après avoir dissimulé la boîte sous mon lit.

Bruce et moi dribblons et lançons le ballon à tour de rôle dans le panier. Je suis plus agressif qu'à l'habitude.

— Bruce, comment est-ce que t'as fait pour ne pas virer fou quand ton cousin s'est fait tuer ? J'sais pas comment dire ça, mais depuis hier, je sens que je vais exploser. Rodrigo se fait tuer par la police alors qu'il n'a rien fait qui puisse expliquer un tel meurtre. Tout ça, parce qu'il est *Black*, comme si sa vie valait moins que les autres, comme si notre vie valait moins que les autres.

Bruce prend le ballon dans ses mains et me regarde dans les yeux.

— *No*. J'sais pas comment j'ai fait. Au début, j'aurais voulu secouer tout le monde autour de moi, leur faire comprendre que c'était injuste. Puis, ça a passé. Hier, sur le coup, tout m'est revenu. Mais aujourd'hui, c'est mieux. Je pense que c'est pire la première…

— *Hey, men, look !*

Roy lance sa casquette très haut dans les airs. Le nez au ciel, il avance et recule, avance et recule, finit par s'embrouiller dans ses pieds, et retombe assis par terre, avec un gros flac, la casquette au bout de ses pieds. Bruce et moi pouffons de rire.

— *Really ?* C'est ça que tu voulais nous montrer, Roy ? glousse Bruce.

— Je vous jure que j'ai réussi à l'attraper. *Five times !* Cinq fois de suite avant de venir ici, comme Rodrigo ! Je n'étais pas capable de dormir. Je me suis entraîné presque toute la nuit et tout le matin.

— OK ! Je veux essayer, dit Bruce.

Je ne bouge pas.

— *Try*, Mano, m'encourage Roy.

J'enlève ma casquette et la lance dans les airs.

« Je me demande bien ce que Rodrigo penserait de nous s'il nous voyait lancer nos casquettes comme ça. »

* *
*

Après le souper, je vais dans ma chambre. Je n'ai toujours pas reçu de nouvelles de Kamilah.

Je sors la boîte de sous mon lit. Un ancien ami, Taylor, me l'avait donnée, il y a un bon moment. Taylor n'avait jamais fait partie d'un gang, mais il avait eu des amis des *Wise Towers*[7]. J'ouvre la boîte et en sors un morceau de tissu à motifs bleu et blanc ainsi qu'une page de magazine, tous deux pliés plusieurs fois.

D'un grand mouvement du bras, je tasse tout ce qui se trouve sur mon bureau de travail pour faire de la place. Je déplie le papier. C'est une petite affiche sur laquelle un jeune adulte noir me fait un sourire. Il porte un *bandana* noué à l'avant sur son front. Au bas, il est inscrit :

Tupac Shakur, (2Pac), 1971 – 1996.
Chanteur hip-hop, assassiné
Rock and Roll Hall of Fame
ROLLING STONES MAGAZINE

Une fois déplié, le morceau de tissu forme un triangle. Je le plie et le replie jusqu'à l'obtention d'un bandeau de 10 cm précis de largeur. Je saisis une extrémité du *bandana* dans chaque main, puis me regarde dans le miroir accroché en haut

---

7. Tours sages.

de mon lit. Je fais passer les extrémités derrière ma tête et mes oreilles. Je les attache deux fois sur mon front pour que cela tienne bien, comme 2Pac.

J'entends dans ma tête la voix de 2Pac qui chante des bribes de sa chanson *Changes* :

> *Pourquoi est-ce que le Diable prend mon frère s'il est près de moi ?*
> *J'aimerais retourner en arrière, lorsque nous jouions comme des enfants.*
> *(...)*
> *Aussi longtemps que je serai Noir, je resterai enchaîné.*
> *Et je ne pourrai jamais me laisser aller.*

Toc, toc, toc.

— Mano, il est tard. Est-ce que je peux entrer te souhaiter bonne nuit ? demande ma mère.

J'arrache mon *bandana* et le cache sous mon oreiller. Je fais glisser l'affiche et la boîte sous mon lit.

CHAPITRE 18

Qu'est-ce que tu comptes faire ?

J'observe une multitude de mains levées vers le ciel sombre. Des mains d'élèves vêtus de l'uniforme des écoles publiques de NYC : un chemisier bleu pâle et un pantalon ou une jupe marine. Ils sont entassés dans la cour de l'école. Celle-ci est vide et triste, encerclée d'un grillage. Le sol est recouvert d'un asphalte parsemé de trous.

Soudain, j'entends des coups de fusil.

Powf, Powf, Powf, Silence. Powf, Powf.

Et voilà que cette séquence de coups de feu se répète comme la bande sonore d'un film qui n'en finit pas. Les mains dans les airs se figent.

En assistant à cette scène, j'éprouve un malaise, une sensation de déjà-vu. Pourquoi est-ce que tout le monde demeure immobile ? Je crie.

— Mais faites quelque chose ! Réveillez-vous ! Il faut que ça change !

Personne ne m'entend. C'est comme si j'étais dans une bulle de verre. Je me sens si seul. Non, pas une seule personne ne veut comprendre.

Soudain, il fait nuit. Je cours, terrorisé. Un homme blanc me poursuit. Depuis combien de temps ? Ne pas me retourner. Ne pas montrer que je suis Noir. Je me ferai tirer sur-le-champ sinon. Mes jambes sont molles. J'ai peur. Ne pas m'écrouler sur le sol. Les pas de l'homme se rapprochent. Faut pas que je me retourne. Faut que j'accélère. Mes pieds sont si lourds. Je regarde mes pieds. Ceux-ci s'enfoncent dans le sol qui s'est transformé en sable mouvant. Prisonnier, terrifié, je me retourne.

– Nooooo !

Je m'assois d'un bond dans mon lit. Mon corps est tout raide. Ma respiration est haletante. Mes deux mains sont placées sur mon cœur comme pour le retenir, moi qui me débat dans toutes les directions. Je m'efforce de respirer le plus calmement possible. L'image de mon entraîneur de basket se dessine de plus en plus clairement dans ma tête. Je parviens enfin à entendre sa voix de basse : « *Calm down. BREATHE INNN...*, Mano. *BREATHE OUTTT...*, Mano. »

J'attrape mon portable sur ma table de chevet. Une heure du matin, comme hier ! Je vais être encore fatigué toute la journée.

J'entends de petits coups marteler sur la porte de ma chambre. Celle-ci s'entrouvre. Ma mère apparaît.

– Mano. Je viens de t'entendre crier. Est-ce que ça va ?

– Oui, maman, t'inquiète. Tout va bien. Ce n'était qu'un petit cauchemar.

– Ça fait trois fois d'affilée que tu te réveilles durant la nuit. Je me fais du souci pour toi.

Depuis la mort de Rodrigo qu'elle n'arrête pas de s'inquiéter pour moi. Qu'est-ce que je peux bien inventer encore pour la calmer ?

— Maman, merci pour ton aide, mais va te recoucher. J'ai besoin de me rendormir au plus vite pour ne pas être fatigué. C'est ce dont j'ai le plus besoin. Je te le jure.

— Je peux te faire un bon lait chaud et tu me racontes ce qui te dérange, mon *Tyo*.

— Noooon ! Je veux dire, non merci, maman, mais je veux dormir.

À ces mots, j'empoigne mes draps pour m'en couvrir le visage. Je demeure allongé sur mon lit sans bouger. Je sais que ma mère est toujours dans ma chambre. Je me mets à respirer très profondément tout en me demandant quand elle s'en ira. Elle ne bouge pas. Après un moment, mon attente me rappelle les interminables cours d'histoire donnés par M. Brown. Je déteste et m'ennuie tellement durant ces séances qu'elles me paraissent trois fois plus longues que toutes les autres. Je crois que je vais craquer. Ça me pique partout. Ce n'est pas le temps de baisser les bras. Je me dis qu'elle va bien finir par croire que je dors et sortira. Ma mère se met à marcher très lentement sur la pointe des pieds. Cette façon qu'elle a de se déplacer est plutôt bruyante dans son cas : elle prononce des « là », « là », « là » à chaque fois qu'elle dépose son pied. La porte se referme. Je m'empresse de découvrir mon visage.

Ouf ! J'ai tellement chaud ! Je commence à en avoir marre de ces cauchemars. Si tout le monde autour de moi arrêtait de faire l'autruche aussi. Je ne comprends pas pourquoi je suis le seul que ça dérange. Pourquoi est-ce que c'est toujours les jeunes Noirs qui se font accoster, arrêter, tuer par la police ? C'est inacceptable ! Pourtant, tout le monde est résigné, même Bruce, lui qui a perdu un cousin. Il ne faut plus jamais que des crimes comme celui de Rodrigo se produisent. Je tente de me rendormir. Sur le ventre, sur le dos, les mains de chaque côté de mon corps, les mains sur mon ventre. Je ne suis pas capable de dormir. Je vais travailler sur mon slam. Au moins, lorsque j'écris, il n'y a personne qui est là pour me dire quoi faire.

* *
*

Depuis le décès de Rodrigo, mon père a pris l'attitude du papa compréhensif et fier. Compréhensif, car il a réussi à ne pas encore se fâcher contre moi, ce qui est un record, et fier, car l'idée de faire du bénévolat père-fils semble l'idée la plus extraordinaire que la terre ait pu concevoir. Quant à ma mère, je ne suis même plus capable de regarder son visage. Elle a les traits tirés avec d'énormes cernes foncés comme des becs de corbeaux. On dirait qu'elle a passé la nuit à dresser sa liste de questions, de recommandations, d'avertissements, d'interdictions. Elle est obsédée à l'idée que quelque chose de mal m'arrive. Tout ce qui colle dans sa tête, c'est que je ne suis pas assez prudent et qu'il va m'arriver quelque chose, à la première fête venue. Je sais que je suis la cause de ses soucis. Et ça me rend encore plus impitoyable.

J'ai bien essayé de parler à mes parents, de leur expliquer, de leur montrer que tout ce qui m'importe, c'est qu'il faut changer les choses. Ça ne sert à rien. Mais je ne baisse pas les bras.

Ce soir, au souper, je tente à nouveau. C'est le moment du dessert. Mes parents semblent détendus. Je décide de prendre la parole.

– Écoutez, je sais que je vous en parle tout le temps, mais il faut faire quelque chose ! Il ne faut pas qu'un autre Rodrigo se fasse tuer. Les injustices juste à cause d'une couleur de peau, ça doit cesser !

Mon père se lève.

– Je suis désolé, Mano, mais je dois absolument y aller. J'ai des choses encore à nettoyer.

Il quitte la pièce. Je sens la colère monter en moi, encore une fois. Je regarde au plafond.

– Vous ne m'écoutez pas !

– Mano, je t'écoute, je serai toujours là pour t'écouter, répond ma mère, posant sa main sur la mienne. Je vois combien la mort de Rodrigo t'affecte beaucoup. Je pense que ce serait une bonne idée si tu allais voir le psychologue de l'école.

« Elle ne m'écoute pas. Mais personne ne va m'arrêter. Si c'est ce que ça prend pour que je réussisse enfin à réveiller les autres autour de moi, je suis prêt à passer le reste de ma vie à répéter, à déranger, à crier même pour que le sacrifice de Rodrigo n'ait pas été inutile. Les injustices raciales, surtout envers les jeunes communautés noires, doivent arrêter... Je ne me reconnais plus. »

Heureusement, en route vers l'école, je me sens plus léger. J'arbore un petit sourire. Ce petit moment de solitude, je le savoure. Personne pour me déranger. Je sens mon corps qui se relâche. Les premières lignes de mon slam me viennent en boucle. Souvent, c'est durant ce moment, lorsque j'arpente les rues de New York à grandes enjambées, que le mot exact, qu'une tournure originale, me viennent en tête. Mais depuis la mort de Rodrigo, je trouve ça plus difficile de me concentrer pour écrire. Je m'impatiente lorsque je ne trouve pas les mots pour exprimer ce que je veux dire. Je suis impatient pour tout : mes parents qui ne comprennent pas ; Kamilah qui ne me répond pas ; même Bruce et Roy qui semblent complètement déconnectés. Pourquoi est-ce que je suis la seule personne dans mon entourage à vouloir vraiment en finir avec les injustices envers les Noirs ?

Je sors mon portable de ma poche. Mon cœur se met à battre très fort. Je l'entends. J'espère qu'elle m'a répondu. Pas de message de Kamilah. L'espace d'un court instant, je sens une crampe dans mon ventre et ma tête me fait mal comme une décharge électrique qui circule entre mes tempes. Je prends une grande respiration, puis tout redevient normal. Je continue ma marche comme si les soubresauts de mon corps n'étaient jamais arrivés. Les deux premiers jours après le décès de Rodrigo, je consultais mon portable tous les quarts d'heure ; le troisième jour, toutes les demi-heures ; le quatrième jour, toutes les heures. Comme j'ai trop peur d'être déçu de ne rien recevoir et de souffrir une fois de plus, j'ai maintenant opté pour la demi-journée.

Après le lunch, je me dirige vers ma classe. J'entends les rires d'un groupe de filles à l'autre bout du couloir. Je me retourne. Je vois Yusi, puis Kamilah. Elle ne rit pas. Elle m'aperçoit, puis se met à me regarder avec beaucoup d'attention. Je me sens rougir. Ses yeux profonds sont plus noirs que d'ordinaire. Elle a changé. Si joyeuse habituellement, elle a les épaules courbées et semble abattue. Je crois apercevoir un filet d'eau apparaître au bas de ses yeux comme si elle allait se mettre à pleurer. Je fais un pas dans sa direction. Elle lève la main très vite pour que je m'arrête, puis dépose son index sur ses lèvres, me regardant d'un air suppliant. Puis, elle se retourne et s'en va.

La journée d'école terminée, Bruce et moi nous sommes donnés rendez-vous au terrain de basketball. Je compte en profiter pour me défouler. Une contrariété de plus, et je sens que je vais exploser. Je ne me comprends pas et ne sais même plus comment je pourrais réagir.

Nous faisons une série de lancers francs, puis jouons un contre un. Nous avons perdu contre les Ravens lundi. Notre entraîneur n'arrête pas de nous marteler que nous sommes trop mous dans nos offensives. Je me dis que toute mon agressivité pourra au moins être utile à une chose : gagner le prochain match.

Je drible avec vigueur en direction du panier, déjoue Bruce et réussis un panier. Il ramasse le ballon et me le retourne d'un bond.

— Bruce, quand je parle à mes parents, c'est comme si je parlais à des marionnettes. S'il est question d'injustice, leur cerveau est en veille, légume. Ils ne comprennent rien ! *Nothing !*

Je fais une passe à Bruce en le regardant dans les yeux. Il drible en fonçant tout droit en direction du panier et compte un point à son tour. Il me lance le ballon. Je l'attrape, mais demeure immobile, continuant de parler.

— *I am mad !* Pendant que j'ai ces discussions qui ne mènent à rien avec ma mère, mon père, lui, ne dit rien. Il fait semblant d'être absorbé par une nouvelle très importante dans le journal ou s'éclipse de la pièce. Je ne comprends pas comment font mes parents pour demeurer tranquillement chez eux alors qu'on devrait tous s'y mettre pour dénoncer les injustices envers les Noirs, sans répit.

Bruce reste muet en fixant le ballon.

– C'est ça, Bruce, mets-toi du côté de mes parents. Attrape ça!

Je fais une passe à Bruce, puis lui arrache le ballon des mains. Il me fixe, exaspéré.

– Mano, *listen*. Je sais que c'est difficile pour toi, que tu te sens impuissant. Mais la vie continue. Il y a plein de choses que tu peux faire. Arrête de te battre contre tout le monde, même ceux qui sont avec toi.

– J'te comprends pas, Bruce…

– *YOLO, Man! You only live once!*

Bruce et moi nous retournons et apercevons Roy.

– *YOLO!* répète Roy en retournant sa casquette.

– *YOLO*, Roy! lance Bruce d'un ton enjoué.

Incrédule, j'observe Bruce et Roy souriant tous les deux.

– *YOLO! YOLO!* Mais qu'est-ce qui se passe? Vous avez un problème ou quoi?

– *Bro*, t'es pas obligé d'aimer ça, dit Roy en me tapant amicalement sur l'épaule.

– *Come*, on joue, ajoute Bruce, me faisant une passe.

J'attrape le ballon, puis le lance avec force sur le sol. Le choc brutal de la balle sur le sol fige sur place Roy et Bruce.

– *Here's the problem!* Vous ne pensez qu'à vous amuser pour oublier. Encore une fois, un jeune Noir se fait buter. Au lieu de vouloir se battre contre les injustices que les Noirs vivent jour après jour, tout le monde autour de moi veut oublier. Mais ça ne se passera pas comme ça. Pas tant que je serai ici. Même si je suis le seul…

J'ai commencé ma phrase en criant. À la fin, je suis triste.

– *No*, Mano, j'ai rien oublié, dit Bruce qui a le même visage fermé que lors de la fusillade de Rodrigo.

– Mais alors, explique-moi ça, Bruce. *Why?* Pourquoi est-ce que tu restes aussi détaché que mes parents? Ça ne te frustre pas ce qui s'est passé avec ton cousin, puis avec Rodrigo?

Roy lance:

– Mano, *stop!* Lâche, Bruce!

– *You!* Avec ton *YOLO*, toujours aussi *cool*, toujours content! Est-ce que tu t'es même arrêté à considérer toutes ces injustices que nous vivons comme jeunes Noirs? As-tu déjà imaginé combien plus facile aurait été notre vie si nous étions nés Blancs?

– Mano, commence Roy d'une voix ferme, mais très calme.

«Son sourire a disparu. Je ne l'ai jamais vu comme ça. En fait, il ne m'était même pas passé par l'esprit que Roy puisse être sérieux.»

– Si Rodrigo était un *White*, continue Roy, il y a peu de chances qu'il se serait fait tuer par la police. Si nous avions la peau blanche, nous ne nous serions pas fait accoster trois fois par la police après l'école cette année, alors que nous n'avions absolument rien fait. Si nous avions la peau blanche, nos parents ne sentiraient pas le besoin de discuter avec nous des effets du racisme à l'école, dans la rue ou quand on travaille l'été. Mano, je suis sûr que tu te souviens très bien des occasions où des adultes autour de toi ont été surpris parce que tu étais capable, toi, un ado noir, de bien t'exprimer, alors que si tu avais été blanc, ça n'aurait rien eu de spécial. Pire, lorsque tu étais parmi les gagnants du concours scientifique organisé par la ville de New York, tu étais le seul *Black*. On t'a demandé de parler de ton expérience. Personne n'était vraiment intéressé par ton projet. Tout le monde te posait des questions sur ton expérience en tant que Noir, comme si tu étais LE représentant de tous les ados noirs, comme si on était tous pareils. Une situation comme celle-là ne te serait jamais arrivée si tu avais eu la peau blanche.

Roy s'arrête pour reprendre son souffle. Bruce et moi ne bougeons pas, hypnotisés par Roy. Après toutes ces années, tous les deux ignorions que Roy puisse être aussi… aussi… éloquent. Satisfait de son effet, Roy poursuit sur sa lancée :

– *Wait !* Il y a l'humiliation suprême ! Mano, tu te souviens lorsque tu as remporté une bourse d'été pour étudier le journalisme à Columbia University ? Tout le monde te demandait si c'était à cause d'un programme pour aider les minorités et tu devais répéter et répéter que c'était juste basé sur tes notes ? Ou la même chose lorsque ton père, Bruce, a obtenu un poste au gouvernement ? Une personne blanche n'aurait jamais eu ce genre de question ! Ou dans le cas de ma mère, qui s'est interrogée pour comprendre pourquoi elle n'avait pas obtenu la job d'agente immobilière.

Était-ce à cause de la manière dont elle avait coiffé ses cheveux, de la couleur de sa peau ou parce qu'elle avait porté des bijoux qui affichaient trop sa culture durant son entretien ? Si elle avait eu la peau blanche, elle ne se serait jamais posé ces questions ! Comme on le disait en classe dans le cours d'études sociales : « Le privilège d'être Blanc se résume à dire que tu peux marcher partout dans le monde sans te préoccuper de la couleur de ta peau.[8] » Ce n'est absolument pas notre cas et c'est injuste. Voilà !

La main dans les airs, comme un chef d'orchestre qui a conduit ses musiciens vers une finale déchaînée, Roy est debout, droit, digne. Bruce et moi sommes bouche bée. Roy, le torse bombé, est trop content de son effet. Son sourire narquois est revenu.

— Mano, comme tu vois, j'ai passé beaucoup de temps à réfléchir aux injustices que nous vivons comme jeunes Noirs. Mais au fond, tu le savais déjà, car y'a pas une seule personne noire qui n'a pas conscience de toutes les discriminations à cause de la couleur de sa peau ou qui n'a pas essayé de s'imaginer sa vie si elle était née Blanche. La mort de Rodrigo est l'ultime exemple, injuste. *Cruel!*

C'est Roy qui est le *joker* du groupe d'habitude, mais aujourd'hui, c'est lui le plus sage de nous tous. J'ai l'air d'un con, d'un fou. Je fixe le sol. Roy s'approche de moi et pose sa main sur mon épaule. Je relève la tête. Roy me regarde droit

---

8. Balckmon, Michael, (2013). *17 Deplorable Examples Of White Privilege And this isn't even the tip of the iceberg.* https://www.buzzfeed.com/michaelblackmon/17-harrowing-examples-of-white-privilege-9hu9

dans les yeux d'une façon si attentionnée que j'ai déjà moins honte.

– *Hey*, Mano, dit Roy. J'ai toujours trouvé que tu étais un gars super bien. T'es fonceur, positif. J'admire ton intelligence. Comme toi, Bruce, et moi, et tes parents, et la plupart des autres aussi, on veut améliorer les choses. Mais nous ne l'exprimons pas et ne le faisons pas tous de la même façon. Moi, j'ai choisi l'humour. Je veux détendre l'atmosphère lors de situations souvent trop tendues. Bruce, lui, c'est par son aide. Il a toujours été là pour nous deux, ses amis, sa famille. Tes parents ont quitté leur pays, occupent des emplois bien en dessous de leurs compétences pour t'offrir une vie meilleure. Et toi, Mano, qu'est-ce que tu comptes faire ? *What are you going to do ?*

CHAPITRE 19

Dernière chance

Je suis assis au milieu de mon lit, le dos appuyé contre le mur. Seule la lampe sur ma table de chevet est allumée. À l'opposé, je devine les visages de deux de mes idoles, Kobe Bryant avec son ballon de basketball et Kendrick Lamar au micro, dissimulés dans l'ombre, tout comme le gros sceau doré de mon certificat reçu lors de mon cours d'été de journalisme à Columbia University. Comme j'étais fier ce jour-là. Jamais je n'oublierai les larmes que mes parents tentaient de dissimuler lors de la remise de mon certificat. Je me remémore le souper que je viens d'avoir ce soir avec mes parents. Pour la première fois depuis le départ de Rodrigo, j'ai passé un bon moment avec mes parents. J'ai bien ri lorsque mon père nous a raconté son aventure au treizième étage du *project*. Tout le monde sait qu'il y flotte une odeur écoeurante de cigarette. En voulant nettoyer le sol le plus rapidement possible, mon père ne s'est pas aperçu que l'ascenseur s'était refermé sur le manche de la lavette. En voulant la retirer, il a mis un pied dans le seau qui s'est renversé. Il y avait de l'eau sur tout l'étage et elle descendait dans les escaliers. Il s'est avéré que les fumeurs étaient des locataires très serviables et ils ont aidé mon père à tout ramasser. J'ai senti que ma mère était aussi plus calme et avait retrouvé son entrain. Elle m'a demandé comment ça allait avec l'écriture de mon slam. Elle m'a redit qu'elle avait hâte de le lire et combien elle était fière que je participe à ce concours.

En revenant de ma rencontre avec Bruce et Roy, j'ai décidé de faire le grand ménage. Mes cahiers et mes livres sont bien empilés sur mon bureau de travail. Tous mes crayons, ciseaux et gommes à effacer tiennent dans un ancien pot sur lequel il est écrit MAMBA en grosses lettres attachées noires. J'ai gardé le pot blanc, noir et rouge parce que je le trouve original et surtout parce que le beurre d'arachide haïtien est le meilleur que j'ai jamais mangé ! Sur la lampe, j'ai suspendu un pendentif muni d'un fil bleu au bout duquel se trouve un vieux médaillon en métal cabossé. C'est *Grann* qui me l'a offert pour mes dix ans. Elle a toujours cru que le médaillon provenait du Congo, d'où venaient nos premiers ancêtres. Je l'ai gardé précieusement. Je ne le porte presque jamais ayant trop peur de le perdre. Près de la lampe, une chandelle, qui a déjà coulé à plusieurs reprises, repose sur le col d'une bouteille vide de Barbancourt à l'étiquette dorée, fameux rhum haïtien à base de canne à sucre. J'avais été très impressionné lorsque mon père m'avait dit que la canne à sucre était la plante la plus cultivée à travers le monde. Bien que j'aie rangé tous mes nombreux livres, j'ai laissé celui de Dany Laferrière, *L'odeur du café*, sur ma table de chevet.

Ma mère me l'a donné quelque temps après le décès de *Grann*. J'aime bien de temps en temps relire des passages de cette histoire d'un petit garçon et de sa grand-mère. Je ne comprends pas tout, mais je suis vite transporté dans le Haïti chaleureux et doux que j'aime et qui me manque cruellement depuis que *Grann* est partie. En parcourant du regard ma chambre, je ressens une grande bouffée de fierté. Ma vie – et celle des gens qui m'entourent – n'est pas toujours facile. Mais mon histoire est riche de tous mes ancêtres qui se sont battus pour vivre et de tous ceux qui aujourd'hui sont des modèles de créativité et de détermination pour mon peuple.

Je me prépare à dormir. J'enfile mon t-shirt favori, celui que *Grann* m'a offert pour mes quatorze ans. Le dernier cadeau qu'elle m'a fait. Il est bleu ciel avec une foule de pêcheurs debout dans leur maigre barque. Je ne le porte plus que pour dormir, car il est devenu un peu trop ajusté. Cette nuit sera sans cauchemar. Les paroles de Roy ont réussi à me calmer. « Et toi, Mano, qu'est-ce que tu vas faire ? » Une boule de chaleur grossit en moi. Faire ce que j'aime le plus : écrire. Un slam. Créer de l'espoir, de la fierté. Le concours international francophone de slam. Je n'arrivais pas à trouver un sujet. Maintenant, je sais ce que je vais faire. Je vais parler de moi, de ma famille, de mes amis, de mon peuple. Crier à l'injustice, mais surtout montrer combien je suis fier de qui je suis et d'où je viens.

Je me sens bien et je suis emballé. Tout en m'allongeant dans mon lit, je tends la main vers ma table de chevet. Je saisis mon portable pour en fermer la sonnerie. J'ai reçu un message.

Kamilah! Elle m'a écrit! Enfin! Je suis si heureux! Je bondis hors de mon lit. Je me jetterais
à travers la fenêtre et me mettrais à voler avec
mon portable si je le pouvais, chantant à tue-tête
mon bonheur.

*   *
*

Aussitôt la cloche sonnée, je cours jusqu'à l'entrée
de l'école. Je ne vois pas Kamilah, mais je sais que
je suis en avance. Yusi arrive. Elle vient me voir
et me remet une feuille de papier pliée en quatre.

– *Here*. C'est de la part de Kamilah.

Fébrile, j'ouvre la lettre.

Salut Mano,

*Je sais que ça fait une semaine que tu m'as
envoyé un message depuis la mort de Rodrigo.
Je ne me sentais pas capable de te répondre.
Lorsque je t'ai vu à l'école hier après-midi, tu
m'as semblé si perdu que je me suis dit qu'il
était temps que je prenne mon courage à deux
mains et que je t'écrive.*

*Je pense que tu avais déjà remarqué que je
ne suis pas quelqu'un qui aime montrer ses
émotions en public. Je deviens alors très dis-
tante même si c'est la dernière chose que je
veuille faire.*

Je me sens tellement coupable que Rodrigo soit mort. Il ne va pas connaître l'amour. Il ne pourra plus jamais rire et rêver. Ce soir-là, si je n'étais pas partie plus tôt avec Yusi, il ne serait peut-être pas arrivé ce qui est arrivé. Je me dis que c'est vraiment, vraiment injuste.

Sa mort m'a ramené les peurs que j'ai toujours eues que ma mère meure et que je n'aie plus de parents. Je sais que ça n'a pas vraiment de lien, mais je n'arrête pas de m'en faire avec ça. Ma mère est inquiète pour moi. J'ai beau lui dire que je vais bien, elle me suit partout.

Le soir où Rodrigo est mort, je me sentais vraiment mal. Je suis partie, car j'avais peur de ne plus être capable de m'arrêter de pleurer. Aussi, surtout, je me sentais confuse dans mes sentiments. Ça peut paraître étrange de parler de ça dans une lettre, mais lorsque tu m'as prise dans tes bras, ça m'a fait tout drôle et je pensais que ça avait été la même chose pour toi. Je n'ai jamais voulu être la copine de Rodrigo même si je sais que lui m'aimait. Mais il était vraiment un bon ami. Tu me dis dans ton message que tu veux que nous soyons amis. Sur le coup, ça m'a surprise. J'ai toujours eu des sentiments pour toi et je croyais que c'était réciproque. Mais peu importe. Depuis les derniers jours, avec tout ce qui se passe, j'ai beaucoup réfléchi. Avec le départ de Rodrigo, je ne pense pas être capable d'avoir une relation. Tu as raison. Soyons amis. Tu es vraiment une bonne personne, Mano. Je sais que Rodrigo avait beaucoup de respect pour toi.

À bientôt peut-être,

Ton amie,
Kamilah

« Elle veut que nous soyons amis. Merde ! Mais qu'est-ce que j'ai fait ? Pourquoi est-ce que je n'ai pas eu le courage de lui dire que je l'aimais dans mon texto ? Elle a dit qu'elle avait des sentiments pour moi. Si je lui dis tout de suite que je l'aime, que je l'ai toujours aimée, est-ce qu'elle va changer d'idée ? Peut-être qu'il est trop tard ? Ou peut-être pas ? Qu'est-ce que je lui écris ? Si je lui explique que je ne voulais pas que nous soyons seulement des amis, mais que je n'ai pas eu le courage de lui dire, elle va me prendre pour un con ou un lâche. Peut-être qu'il n'est pas trop tard, peut-être qu'elle voudra que nous soyons ensemble. Il faut que je lui écrive quelque chose et vite. Cette fois-ci, je vais vraiment lui dire ce que je pense. »

MANO

Merci pour ton message. Concernant la dernière partie, je voulais te dire que je suis content que tu veuilles que nous demeurions amis. Mais j'ai aussi eu la même sensation que toi quand j'ai essayé de te réconforter. Je t'ai dit que c'était seulement sous le coup de l'émotion. Mais aujourd'hui, je n'y crois pas. Je t'aime, Kamilah.
À+

10:29

Je n'ai pas revu Kamilah, ni reçu de nouvelles de la journée. Ce soir-là, je m'endors en reconstituant plusieurs fois la scène. Je m'approche de Kamilah, la prends dans mes bras pour la réconforter. Mon cœur bat si fort que je me demande si Kamilah peut le sentir. Je dépose mon menton dans ses cheveux bouclés qui sentent si bon, un mélange de poudre pour bébé et de shampoing à la fraise. Elle remonte la tête, me regarde, intensément, avec ses yeux remplis de larmes. J'essaie de lui communiquer tout mon amour, lui montrer que je suis là. Puis, sentant qu'elle se relâche un peu, je la serre un peu plus fort. Nous sommes collés. Une petite décharge électrique parcourt mon corps. Je choisis d'arrêter là mes réminiscences. C'est là que je veux être, encore et encore.

* *
*

Quelques rayons dorés et chauds entrent par la fenêtre. Je remue mes orteils, puis bâille tout en étirant mes bras. Un immense sourire apparaît sur mon visage.

« Je me suis sentie toute drôle lorsque tu m'as prise dans tes bras. »

Je consulte mon portable. Pas de message de Kamilah. Mon sourire se rétrécit un peu.

Tout le long du trajet vers l'école, je ne perds pas une minute. Je pense à mon slam. Je sais maintenant exactement sur quoi je veux écrire. Les rimes se bousculent dans ma tête. Je change un mot de place, trouve un meilleur synonyme, cherche à créer une image plus percutante. Lorsque je juge que ça en vaut la peine, je prends quelques notes sur mon portable.

En arrivant à l'école, je vois Kamilah. Elle est là, toute seule. Elle semble chercher quelqu'un des yeux. Ses cheveux attachés font ressortir ses yeux toujours aussi profonds et brillants. Comme elle est belle! Elle porte un t-shirt vert, rouge et jaune, aux couleurs du Cameroun. J'aime qu'on puisse se parler en français, juste tous les deux. Elle m'aperçoit et me fait signe de la rejoindre. Gracieusement, elle replace une mèche de ses cheveux derrière son oreille gauche, puis pince la boucle d'oreille jaune en forme de papillon sur son lobe. Mon cœur bat si fort que j'enlève ma casquette et la dépose sur mon cœur pour en masquer le bruit. Ce faisant, je passe mon autre main dans mes cheveux énergiquement en tentant de les placer.

Je suis maintenant directement en face d'elle. Je lui fais mon plus beau sourire, mettant en évidence mes belles dents blanches et droites. Elle ne sourit pas, l'air sérieux. Elle tente de me regarder, mais n'y arrive pas.

— Mano, hier dans ton message, tu m'avoues finalement que tu m'aimes alors qu'il y a cinq jours tu m'as écrit que tu voulais que nous soyons des amis. Quand j'ai reçu ton premier texto, ça m'a fait de la peine, je ne comprenais pas ce qui se passait. Je sentais qu'il y avait quelque chose entre nous. Je ne savais pas quoi penser ni quoi faire. Puis, même si j'avais des sentiments pour toi, comme je croyais que tu n'étais pas intéressé, j'ai essayé de t'oublier, de me convaincre que nous serions mieux seulement amis. Et maintenant, c'est réellement ce que je crois. J'ai réalisé qu'avec la mort de Rodrigo il est plus important pour moi de m'occuper de ma mère et de mes amies. Puis, les examens de fin de semestre approchent. Commencer une relation, surtout si ça devait mal se finir, ce serait trop pour moi. Tu comprends ? Mano ? Tu comprends ?

Je suis désemparé. Des larmes emplissent mes yeux. Je fais tout pour les retenir. Kamilah se met à pleurer sans faire de bruit. Je tente de la réconforter comme la dernière fois, mais elle se dégage doucement.

La cloche sonne.

Kamilah ramasse son sac à dos en s'essuyant les yeux. D'une voix défaite, elle me dit :

— Bye, Mano. J'espère que ça ira. Je ne crois pas que nous pourrons demeurer des amis. Je... je sais que tu aurais été un super *boyfriend*....

Elle entre dans l'école. Je ne la suis pas. J'ai pris ma décision. Je rebrousse chemin.

> **MANO**
>
> Maman, j'ai décidé de prendre une journée de «repos préventif». Je retourne à la maison.
>
> 8:57

> **MAMAN**
>
> D'accord. Je suis contente que tu le fasses avec tout ce qui s'est passé ces derniers temps. Ça va te faire du bien. Mais je veux que l'on se parle ce soir pour voir comment ça va. J'avertis l'école. Bisou. Je t'aime.
>
> 9:04

Depuis que je suis à l'école secondaire, ma mère et moi avons fait un accord. Si je réponds aux exigences de l'école, maintiens de bonnes notes et manque peu d'école, j'ai le droit de prendre trois journées de « repos préventif » durant l'année. Ma mère ne me demande rien, seulement d'échanger avec moi à la fin de la journée.

Arrivé à la maison, je ne perds pas une minute. Je m'assois à mon bureau de travail et ouvre l'ordinateur. Je me mets à écrire et écrire sans arrêt. Je me fiche du concours de slam ou de changer les choses. J'écris tout ce qui me passe par la tête, tout ce que je ressens. Je suis frustré, fâché. J'écris en pleurant. Puis, petit à petit, je me calme. Je n'ai pas le courage de me relire. Je consulte ma montre et sursaute : 14:07.

— Déjà ! J'ai faim !

Je fais chauffer une pizza que j'ai trouvée dans le congélateur pendant que je dévore un concombre d'un bout à l'autre et bois un demi-litre de lait à même le contenant.

La pizza n'est toujours pas prête. Pour tuer le temps, je décide de faire un petit survol de ce que je viens d'écrire.

« Tout est lié à l'amour. Et c'est tellement personnel. Je ne pourrai jamais faire lire ça à personne. »

Je lève la tête et ouvre la fenêtre. Le soleil brille. J'entends le cri enjoué des élèves de l'école primaire d'à côté. Plusieurs personnes déambulent sur les trottoirs. Certaines sont pressées, d'autres, plus au ralenti comme cette vieille dame avec son petit chien. Je prends une grande respiration.

« Même si je voulais dénoncer les injustices et parler de ma fierté d'être Noir, pour le moment, ce qui me fait vibrer, c'est Kamilah. Je dois me dévoiler et ne pas hésiter à parler d'amour. »

Je passe l'après-midi et une bonne partie de la nuit à écrire mon slam. Je n'ai jamais écrit aussi longtemps, de toute ma vie. Il est 23:57. Mes yeux fixent les mots de mon slam sur l'écran.

« Et si je l'envoyais à Kamilah ? C'est ma dernière chance. Elle ne me connaît pas vraiment. Comme j'ai tout raté avec elle jusqu'ici, j'espère qu'avec mon slam elle pourra me comprendre. Je sais qu'elle est la bonne personne pour moi. C'est une évidence. Elle est tellement fonceuse, courageuse. Je l'aime et je veux qu'elle le sache et qu'elle sache aussi qui je suis vraiment. »

J'appuie sur la touche « Envoyer » ; mon slam est parti vers Kamilah.

CHAPITRE 20

La surprise

Je me réveille tout en maintenant les yeux clos. Je vois Kamilah arborant son sourire généreux comme pour me dire «Allez! Viens! Suis-moi!» Je me sens agité. Je suis impatient de voir si Kamilah m'a répondu. J'étire la main et prends mon portable. Aucun message de Kamilah. Je suis déçu. J'éprouve tout de même un sentiment que je n'ai jamais vécu en amour. Je me sens confiant. Je ne sais pas du tout ce que Kamilah va me répondre (si elle décide de le faire!). Je sais que j'ai pris la bonne décision en étant sincère avec elle. Je prends une grande respiration. J'ai peur, mais je suis fier de mon courage.

À l'école, je ne croise pas Kamilah de la journée. Elle ne m'a pas texté non plus. Je redoute sa réponse (ou pire, de ne jamais en avoir une), mais sur le chemin du retour et même avant de me coucher, je garde espoir.

Le lendemain matin, je suis en route pour l'école. Je réfléchis à mon slam. Je suis content de ce que j'ai écrit. Pourtant, je sais que ce n'est pas le slam que je veux envoyer au concours. Je souhaite montrer ma fierté d'être Noir et dénoncer les injustices que vit mon peuple. Alors que je m'apprête à entrer dans l'école et à éteindre mon portable, je remarque que j'ai un texto.

KAMILAH

Mano, est-ce qu'on peut se voir après l'école?

8:56

« Elle veut me voir! Qu'est-ce qu'elle va me dire? »

Mon cœur bat à une vitesse folle. Mais je ne regrette toujours pas de lui avoir envoyé mon slam. L'une de mes croyances s'écroule durant la journée : j'ai toujours cru que le cours d'histoire était le plus long et le plus ennuyeux de tous. Aujourd'hui, c'est le cours de chimie qui remporte la palme d'or! Le dernier cours de la journée. M. Kombo est très en forme. C'est avec beaucoup d'entrain qu'il démontre l'importance capitale de la chimie dans la vie de tous les jours en essayant, avec la participation des élèves, d'imaginer le monde moderne sans les pesticides, les peintures, le caoutchouc et les médicaments. Je suis incapable de me concentrer. Je m'imagine couvrir les médicaments de caoutchouc, les peinturer, puis les vaporiser de pesticides. Mon regard est rivé sur l'horloge.

« J'espère qu'elle a aimé mon slam. J'espère qu'elle ne veut pas me rencontrer pour me dire d'arrêter de lui envoyer mes textes. »

Je suis incapable de demeurer assis. Je vais exploser. C'est trop long.

« Si elle ne veut pas de moi, je ne sais pas comment je vais faire. Il n'y en a pas d'autres comme elle. Je n'ai jamais rencontré une fille avec autant de confiance en soi. Lorsqu'elle a une idée, elle y va toujours à fond. Elle n'a pas peur de se tromper. Il n'y avait qu'elle qui pouvait organiser un évènement aussi populaire l'an dernier. Réussir à convaincre TOUT le monde de l'école de collecter 20 $ pour aider les enfants qui ont le cancer en mémoire de son père. »

Elle avait organisé une fête. La meilleure fête de toute ma vie ! Tout le monde dansait ensemble. C'est comme s'il n'y avait plus de cliques à l'école. Roy s'est mis à faire ses blagues en dansant avec tout le monde. C'était trop drôle. Oui, Kamilah, c'est la meilleure personne que je connaisse. Elle a un don pour mettre les gens ensemble.

« Je me sens bien avec elle. Jamais je ne pourrai trouver quelqu'un pour la remplacer. Je l'aime tellement. »

La cloche sonne. La libération ! J'ai rassemblé mes affaires depuis cinq bonnes minutes. Je suis le premier à sortir de la classe. Une fois dans le couloir, je ne me rappelle plus notre point de rencontre. Je regarde le dernier texto de Kamilah. Elle n'a rien mentionné à ce sujet. J'imagine qu'elle veut qu'on se rencontre au même endroit que la dernière fois.

« Merde, c'est à l'autre bout de l'école ! »

De nombreux élèves circulent dans les couloirs. Je suis incapable de courir. Je tente de me faufiler du mieux que je peux. Je croise Bruce et Roy. Je leur fais signe que je n'ai pas le temps de leur parler en articulant en silence « Ka mi lah ».

Ils lancent en chœur « *Good luck, bro!* », arborant un sourire mi-sérieux, mi-narquois.

Je sors de l'école et dévale les dernières marches arrivant comme un fou furieux, fonçant quasiment sur Kamilah qui est de dos. Elle se retourne.

« Comme elle est belle. J'adore son gilet moulant rose avec ses jeans et quand elle laisse ses cheveux lâchés. Elle a mis un peu de noir sur ses yeux. »

– Kamilah.

Je peine à articuler tant je suis essoufflé.

– Mano...

– Avant que tu parles, Kamilah, j'aimerais te dire quelque chose. Je n'veux pas que tu penses que mon slam est à ton sujet. Hum...

Je baisse la tête, puis la relève.

– Oublie ça, Kamilah. Mon slam est juste ça, à ton sujet. Comme tu peux voir, je n'suis pas bon pour exprimer mes sentiments en direct.

– Mano...

Malgré mon embarras, je regarde Kamilah droit dans les yeux. Mais son regard est fuyant. Elle a l'air intimidée.

« Elle ? Timide avec moi ? Elle est si sûre d'elle habituellement. »

Sans même y penser, je pose ma main sur son épaule en continuant de la fixer. Je regrette aussitôt mon geste. Je ne veux pas lui mettre de pression. Je choisis tout de même de la laisser là où elle est.

– Mano, ce que tu as écrit est tellement beau. Je ne savais pas que tu avais autant de talent. Tu as écrit sur l'amour...

Kamilah regarde au loin et avale sa salive. Je ne me suis jamais senti aussi exalté. J'adore chaque seconde de cette conversation. Kamilah tente à nouveau de poser son regard sur moi.

– Tu parles de l'amour. Et surtout, tu écris qu'il ne faut pas avoir peur. J'ai peur, Mano. Je veux sortir avec toi, mais en même temps, si ça ne fonctionnait pas ? Je ne sais pas comment je réagirais à une autre perte.

Mon cœur veut exploser. Pour avoir l'air calme, je me concentre sur ses yeux que je regarde avec douceur. Elle se rapproche plus près de moi. Je pose ma main libre sur son autre épaule. Je sens deux mains se rejoindre dans mon dos, à la hauteur de ma taille. Je fais glisser les miennes sur la tête de Kamilah près de sa nuque.

Nous nous étreignons. Je ne retiens plus mon élan. Je serre Kamilah aussi fort que je peux sans lui faire mal. Je ne pensais jamais pouvoir me sentir aussi bien. Le nez enfoui dans ses cheveux, je prends une grande bouffée de son parfum si doux.

Kamilah et moi demeurons immobiles, enlacés. Je sens la tête de Kamilah bouger. Je me dégage pour ne pas la gêner. Elle me regarde, la tête penchée vers l'arrière pour bien me voir. Comme je suis grand, je dépasse Kamilah de deux bonnes têtes. Elle se met sur la pointe des pieds et frôle ses lèvres contre les miennes en riant. Nous échangeons de petits baisers entremêlés de rires, à la fois surpris et heureux d'être ensemble.

Kamilah s'immobilise. Je balaie du regard la cour. Les élèves qui sortent de l'école se font rares.

– Wow ! tout le monde est parti. Je ne m'en étais même pas aperçu, m'exclamé-je d'un ton enjoué.

Je regarde Kamilah. Son visage a changé. Elle est si sérieuse. Son regard est tellement intense.

Mon cœur recommence à battre dans tous les sens. Pour me calmer, je me concentre à nouveau sur ses yeux, rivés sur les miens. Nos lèvres se rencontrent. Kamilah et moi nous embrassons, puis tout s'accélère. Les yeux clos, c'est notre bouche, nos mains que nous utilisons pour communiquer notre passion, notre amour, notre bonheur.

* *
*

Les quinze jours qui suivent ressemblent au paradis. Je me déplace pour aller à l'école ou, plutôt, je flotte pour m'y rendre. J'ai un sourire en permanence sur les lèvres. J'ai même composé une musique pour mon slam que je fredonne à chacun de mes déplacements. Aussitôt que nous le pouvons, Kamilah et moi passons du temps ensemble à parler, à rire, à nous embrasser dans la cour de l'école, au *project*, au Morningside Heights Park. Nous évitons Central Park, car il y a toujours plein de monde. Sa crainte du début s'est dissipée. Elle a décidé d'avoir confiance en notre relation.

Je veux toujours écrire un slam pour le concours, mais maintenant que Kamilah est dans ma vie, j'ai de la difficulté à trouver le temps et la concentration. Et puis, il y a Roy et Bruce. Je les sens un peu frustrés. Ils n'ont pas encore eu la chance de connaître l'âme sœur. Ils sont très intéressés par mes amours, mais jusqu'à un certain point. C'est ce que je constate lorsqu'on se rencontre pour jouer au basketball après l'école.

Kamilah n'est pas là. Elle a promis d'aider sa mère à tout préparer pour une fête chez elle en fin de semaine. Bruce et Roy ont davantage le goût de parler que de jouer. On s'assoit sur le banc à côté du terrain.

— *Hey*, Mano, tu sais qu'mon grand frère a eu plein de copines, s'exclame Roy. Il n'a jamais voulu répondre à mes questions. Il dit que j'suis trop bébé pour ce genre de discussion. Y a des limites. J'ai quinze ans. Alors Mano, c'était comment la première fois ? Est-ce que c'était gênant ? Est-ce que c'est comme tu pensais ?

— *Bro*, comment tu fais pour savoir que Kamilah, c'est la bonne ? interroge Bruce. Elle est correcte, mais y'a tellement d'autres filles dans l'école, des super *cute* à part ça. T'as pas peur de trouver ça dur, l'exclusivité ? En tout cas, je n'serais pas capable d'me voir me marier avec la fille avec qui je sortirais aujourd'hui.

— *Relax*, Bruce. On n'est pas rendus là. Mais je peux te dire que, pour le moment, j'ai vraiment, vraiment pas le goût de sortir avec une autre fille. Elle est trop géniale. C'est l'amour de ma vie. J'ai une surprise pour elle.

— *What is it* ? demandent les deux compères.

— *No*. Je n'veux pas vous le dire tout de suite. J'veux faire la surprise à Kamilah avant.

— *Right*. C'est ça, Kamilah est mieux que nous. Tu nous laisses déjà de côté, tes meilleurs amis, réplique Bruce.

— On n'a même plus le temps de s'amuser, d'aller jouer au basket, ajoute Roy. T'es toujours avec elle, elle, elle. *Always* !

Puis, il se met à fredonner « Mes moments les plus heureux n'étaient pas complets si tu n'étais pas *on my side* », en essayant d'imiter Beyoncé.

— *Men*, voyons, je n'suis pas toujours avec Kamilah, réponds-je surpris. Samedi, j'ai passé toute la journée avec vous deux.

— *Yes*. Parce que Kamilah gardait sa petite cousine. Sinon, tu aurais été avec elle encore, réplique Bruce.

— *Bro*, tu nous prends pour tes bouche-trous, ajoute Roy.

— *Hey*, les gars, c'est moi qui ne vous reconnais plus ! réponds-je.

Je sens que je commence à m'impatienter. Mes amis ne comprennent pas du tout ce que je vis et je les trouve très bébés en effet.

— *Well*. Mano, comme dit ma mère, ce serait bon que tu réfléchisses à tes priorités, lance Bruce.

— *Exactly !* Ne viens pas nous voir quand Kamilah et toi, ce sera fini. On n'est pas tes marionnettes, ricane faussement Roy.

— *You know what is your problem ?* déclaré-je. Vous êtes jaloux !

Je marche en direction opposée à Roy et Bruce. J'en ai assez entendu comme ça. Je m'en vais chez moi. Je n'ai pas parcouru vingt pas que mes pensées sont déjà pour Kamilah. J'ai trop hâte de lui donner ma surprise.

Le lendemain après l'école, j'aperçois Roy et
Bruce en retrait. Je décide de ne pas aller les voir.
Je ne saurais pas quoi leur dire. C'est sûr que ce
sont encore mes meilleurs amis. Mais depuis que
je sors avec Kamilah, j'ai moins de temps pour
eux. Je trouve qu'à notre âge on ne peut pas passer
tout notre temps libre à jouer au basketball et à
faire des plaisanteries. Si Roy et Bruce avaient
des copines, ils me comprendraient.

Je fourre ma main dans la poche droite de
mon jean. J'en ressors un petit sac, couleur jaune
or avec un petit cordon en velours noir pour le
fermer. Je contemple le petit sac, puis je referme
ma main dessus. Je m'en vais voir Kamilah à notre
point de rencontre habituel.

Kamilah m'attend, un sourire de conquérante
sur le visage. Je ne peux m'empêcher de lui sourire
d'un air espiègle et interrogateur. Je n'ai pas la
moindre idée de la surprise qu'elle va me faire.

– C'est moi qui commence, affirmé-je.

– Non, c'est moi. Je veux te faire plaisir en
premier.

– Non, c'est moi. Je sais que tu vas être tellement contente.

— Si je t'embrasse, est-ce que c'est moi qui pourrai te donner ma surprise en premier ? supplie Kamilah.

Après dix minutes de négociations entrecoupées de baisers, c'est moi qui gagne.

Kamilah ouvre le petit sac. Elle en sort un délicat bracelet en or. Je lui retire des mains pour l'accrocher à son poignet.

— Wow. C'est vraiment un très beau cadeau. Je l'aime beaucoup. Merci !

Kamilah se lève sur la pointe des pieds et m'embrasse.

— À mon tour !

Elle sort une feuille de son sac à dos et me la tend. Je prends la feuille et commence à lire. C'est comme un poème... Ça ressemble au slam que je lui ai envoyé, mon slam... mais traduit en anglais ! Je ne comprends pas. Je lève la tête et regarde Kamilah. À voir mon expression déboussolée, Kamilah se met à rire.

— Mano, tu ne devineras jamais ! Le Harlem School of the Arts organise un concours de slam/ poésie pour les jeunes. C'est samedi prochain ! La semaine dernière, j'ai traduit ton slam et je l'ai envoyé. Ta candidature a été retenue ! Tu fais partie de la liste des participants ! Mano ! Je suis si contente ! Ton slam est tellement bon ! Il faut que les gens l'entendent ! Je sais que tu vas gagner !

Je suis complètement renversé.

— Je te l'avais dit que c'était une grosse surprise !

Kamilah saute dans les airs.

Je la regarde. Je ne me sens pas bien. Je me sens comme piégé, trahi.

– Kamilah, je sais que tu as fait ça parce que tu aimes mon slam et que tu voulais m'aider. Le fait est que ce slam, je l'avais écrit pour toi, pour toi seule. Ce n'est pas quelque chose que je veux présenter en public, c'est trop personnel. Je ne me sens vraiment pas à l'aise avec ça, t'as pas idée. J'aurais aimé ça que tu m'en parles.

Kamilah a perdu tout son entrain. Elle s'est mise à frapper du pied à intervalle régulier. Kamilah n'est pas du genre à ne pas mener à bout un projet qu'elle entreprend. Je sens que tout ça pourrait mal tourner. Mais j'enchaîne tout de même.

– Je vais devoir lire cette version pour m'assurer que le rythme, les rimes fonctionnent bien. Ça va me prendre beaucoup de temps pour retravailler tout ça. Je ne crois pas être prêt pour samedi. C'est dans deux jours.

– Mano, j'te comprends pas, s'écrit Kamilah toute rouge. Tu écris des slams. C'est bien pour les présenter, non ? À quoi ça sert d'écrire si personne ne t'écoute ? Je te trouve une place dans un évènement et tout ce que tu trouves à dire, c'est que t'es gêné ? Franchement, Mano. Ce n'est pas toi qui as écrit qu'il ne faut pas avoir peur ?

Seul dans ma chambre, je relis mon slam pour la millième fois :

Nos interactions sont d'abord un peu… de travers
Mais au fur et à mesure, nous nous rapprochons, en rougissant
C'est le début d'un nouveau sentiment, puissant
Nous sommes faits l'un pour l'autre…

Je ne peux pas continuer, je suis trop gêné. Mon slam était pour elle, pour personne d'autre. En plus, il y a encore plusieurs passages qui ne fonctionnent pas en anglais. Pourquoi est-ce qu'elle ne me comprend pas ? Mais je la connais, Kamilah, si je ne le fais pas, c'est fini.

Durant les deux jours qui précèdent la soirée de slam, je réorganise les rimes en anglais du mieux que je peux et répète devant mon miroir. Je ne me sens pas bien du tout. Je n'ai absolument pas le goût de présenter ce slam devant un public. Présenter ma vie, parler de mon école, de mes parents, de mon peuple, des injustices, c'est une chose. Mais parler de sentiments, d'amour. Le pire est que Kamilah s'est organisée pour que toute l'école soit au courant et assiste à la soirée. Je sens que j'aurai l'air complètement ridicule devant mes amis. Pourquoi n'ai-je pas su dire non à Kamilah ? Pourquoi est-ce qu'elle, de son côté, n'a pas pu respecter mon opinion et mes sentiments ? Même si je ne me sens pas prêt du tout, que j'aurais mieux aimé le faire dans d'autres circonstances, avec un autre slam, je vais le faire, pour Kamilah. Je n'ai pas envie que notre relation se termine.

CHAPITRE 21

La disparition

Le soir tant attendu est arrivé. Je suis à l'arrière-scène. La salle est pleine. Les jeunes, venus de tous les coins de la ville, sont surexcités. Ils sifflent et applaudissent à tout rompre bien que les présentations ne soient même pas encore commencées. J'ai déjà fait plusieurs présentations, à l'école, lors de concours journalistiques et même pour le Borough de Manatthan en début d'année. Mais je n'ai jamais présenté l'un de mes slams. Je n'ai surtout jamais révélé mes sentiments au grand public.

Kamilah court, toute souriante, un grand homme à ses côtés.

— Mano, *this is* Tristan King. C'est le présentateur pour ce soir et il fait aussi partie du comité qui a sélectionné les slams.

M. King me serre la main. Nous sommes tous les deux de la même grandeur. Seulement, sous sa chemise blanche, il semble beaucoup plus bâti que moi. Il est impressionnant. Mais il me semble aussi très affable et dynamique.

– *Nice to meet you*, Mano. Je suis vraiment très heureux que tu participes à notre concours.

– *Thank you very much, mister* King.

Je me sens incapable de poursuivre la conversation. De gros papillons se débattent dans mon ventre. C'est douloureux. En adoptant un air que je veux nonchalant, je me dirige vers la première chaise libre en coulisses.

Je regarde autour de moi. Des dizaines de jeunes qui vont présenter un slam comme moi blaguent entre eux. Ils ne semblent pas nerveux du tout. Je décide d'aller les rejoindre. Ça va me changer les idées.

* *

*

Ladies and Gentlemen, notre prochain participant, tout droit sorti de l'école Harlem Renaissance High School : Mano ! Avec son slam, *Red*.

M. King fait un excellent travail. Bien que ça ne soit que le milieu de la soirée, c'est un succès garanti. Les jeunes applaudissent avec vigueur, l'ambiance est survoltée.

Le projecteur quitte le podium derrière lequel se trouve M. King pour se diriger vers le côté cour de la scène. Personne. Mano se fait attendre. Contre toute espérance, c'est Kamilah qui apparaît en gesticulant. M. King répète à nouveau.

– *Ladies and Gentlemen*, notre prochain participant : Mano !

Kamilah se met à sautiller en formant un T avec ses mains. Habitué aux imprévus, le présentateur annonce le prochain participant sur la liste, puis emprunte le couloir derrière la scène pour aller rejoindre Kamilah. Elle est très agitée.

— *No*! Mano n'est pas ici. Je l'ai vu il y a cinq minutes. Il disait qu'il ne se sentait pas bien et qu'il avait soif. J'ai couru lui chercher un verre d'eau et lorsque je suis revenue, au moment où vous le présentiez, il n'était plus là. *Oh look!* Il vient de m'écrire un texto.

> **MANO**
>
> Kami, je n'ai pas été capable. Je suis désolé de t'avoir déçue. Je ne suis pas fort comme toi. Ce que tu m'as demandé, c'était trop pour moi.
>
> 19:51

> **MANO**
>
> Bruce *and* Roy,
> Je suis un couillon. C'est probablement fini avec Kamilah. Je n'ai pas été capable de réaliser son désir. Mais aussi, j'ai été un con avec vous. Un con et un couillon. *SORRY.*
>
> 19:52

23:00. Mano n'a répondu à aucun des nombreux
messages et appels reçus sur son téléphone.

LONDRES

CHAPITRE 22

La première journée d'école

Je suis près de la fenêtre, la tête appuyée dans le creux de ma main. Je regarde à travers la vitre.

Je prétends être hermétique à toute la fébrilité qui m'entoure en cette première journée de classe, mais sans grand succès, ou du moins, je n'y arrive qu'en apparence. Ces retrouvailles, ces questions, ces échanges sans but, cette excitation m'agacent.

— Léo. Ça va ?

— Au Japon ? Cool.

— Ta sœur avec Goodman ? C'est pas vrai !

— Dans le sud de la France chez ma grand-mère. C'était... Pas mal.

— Tu devrais venir à mon camp de foot l'été prochain. On va taper la balle après l'école ?

Tous ces ricanements exagérés et ces conversations décousues, joints aux crissements des tables et des chaises, on dirait une musique expérimentale sur Garage Band. Je connais trop bien ce tumulte qui trahit l'attitude décontractée que la majorité des élèves tentent d'afficher en cette journée de rentrée scolaire.

La longue mèche de mes cheveux blonds frisés qui tombe en cascades sur mon visage ne me donne qu'une vue partielle des luxueux bâtiments blancs de l'autre côté de la rue. Au-dessus de l'une des imposantes portes d'entrée noires lustrées se trouve un long porte-drapeau au bout duquel vacillent, sur fond rouge, des signes dorés. Un peu plus loin, un autre drapeau flotte au vent, blanc et rouge, celui de la Pologne peut-être. Des ambassades sans doute. Mon père travaille aussi dans une ambassade, mais beaucoup plus grande que celles-ci, située au centre de Londres dans Knightsbridge, près de Hyde Park. La France a décidé cette fois-ci de l'envoyer faire son mandat de trois ans à Londres.

J'en ai marre, marre, marre. Pourquoi est-ce qu'il faut encore que je reprenne tout ? Ça allait bien là-bas. Je commençais vraiment à me sentir chez moi, avec de vrais amis. Mais non, il faut que je suive et que je déménage encore.

– Bonjour, tout le monde, je me nomme Fabienne Paternot. Je suis née en Suisse. C'est moi qui suis la professeure de français des secondes.

Je regarde au plafond, puis retourne à la fenêtre fixant à nouveau les édifices qui, au final, me semblent tous très semblables. Je vois les voitures et les taxis noirs défiler sans arrêt au pied de l'école. Je tire sur le col de mon t-shirt. J'étouffe déjà ici.

Un long soupir bruyant s'échappe de ma bouche que je tente d'étouffer avec ma main. J'épie mes voisins pour voir s'ils m'ont entendu. Tout le monde a les yeux rivés sur la professeure. Personne ne semble même s'être aperçu de ma présence. Ma première journée d'école dans un nouveau pays. Encore. Je ne peux pas y croire.

— Comme nous sommes à Londres, il y a plusieurs élèves qui sont nouveaux cette année. Je vous demanderais de vous présenter à tour de rôle. Vous allez commencer par votre nom, votre âge, le pays dans lequel vous êtes nés et, si jamais vous avez vécu dans d'autres pays, vous pouvez aussi les mentionner.

Les fichues présentations. Il ne manquait plus que ça.

À regret, je me résous à quitter la fenêtre en faisant pivoter nonchalamment ma tête dans ma main jusqu'à ce que la professeure se trouve dans ma ligne de mire. Elle est vêtue d'un chandail rouge et porte de petites boucles d'oreille en forme de poisson vert à œil jaune.

Le drapeau du Cameroun, vert, rouge et jaune, avec son étoile au centre, jaune aussi, hissé tout en haut du mât, régnant en maître sur l'école, me vient à l'esprit. Mon ancienne école. Le Lycée Fustel de Coulanges de Yaoundé, si vaste. Son image dans ma tête est limpide. Tous les murs sont de briques rouges. Des espaces verts jaillissent çà et là, avec de grands arbres. Droit devant l'entrée principale, Robert est là, fidèle.

— Luc, mon ami. Comment vas-tu ce matin ? Tu as bien dormi ?

Le sourire perpétuel de Robert, ses dents blanches, éclatantes, sa bonne humeur inébranlable, le roulement de ses « r » comme un ruisseau. Robert et moi sommes aux deux extrémités du spectre du bonheur. Robert m'empoigne la main, comme à son habitude.

— C'est bien, Simone. Merci.

Je secoue la tête et m'efforce de me concentrer sur ce qui se passe dans la classe. Je tâche de regarder la professeure de français avec attention. Mais déjà, je me surprends à regarder ma main et à sourire.

La toute première fois que Robert m'avait pris la main... Son geste m'avait saisi. La dernière fois que j'avais donné la main à un garçon, c'était lorsque j'avais six ou sept ans, pour circuler en rang dans l'école. Le Cameroun était mon énième pays depuis ma naissance. Par instinct d'adaptation, je n'avais pas osé retirer ma main tout de suite. C'est ainsi que tout en déambulant sur le parvis de l'école, main dans la main avec Robert, je m'étais vite rendu compte que la plupart des autres élèves se comportaient comme nous. Tous des copains. Des mains entrelacées pour affirmer leur amitié.

— Luc... Luc... Luc Dubois. Il y a bien un Luc Dubois dans la classe ?

— Oui, c'est moi, madame. Excusez-moi.

Je me lève avec empressement, comme je le faisais au Cameroun lors de l'appel du matin.

— Tu es le dernier à devoir te présenter, Luc. Tu peux te rasseoir.

Je sens la rougeur submerger ma poitrine jusque vers le haut de mon corps. Je me tourne de côté sur ma chaise afin de ne pas tourner le dos aux autres élèves. Je sens mon visage qui brûle, comme un coup de soleil.

— Hum. Salut. Je m'appelle Luc Dubois... euh... ça, vous le saviez déjà.

Je réfugie mon regard vers le plancher et murmure :

— Je suis né en France.

« La base de la politesse, mon fils. La base de la politesse. Il faut toujours regarder les gens auxquels on s'adresse dans les yeux, Luc. »

Je prends une grande respiration, réussis tant bien que mal à soutenir le regard des autres élèves et enchaîne comme un robot.

– J'ai habité en France, en Belgique, au Canada, au Mexique, non. Le Mexique d'abord, puis le Canada, la Suisse et le Cameroun.

Après cette première journée d'école, je n'ai qu'une envie : être seul dans ma chambre. Je suis couché sur mon lit, les yeux rivés au plafond. Je devine que les délicates moulures blanches tout autour représentent un mélange de fleurs et de fruits entrelacés. De majestueuses draperies bleu pâle encadrent les hautes fenêtres. J'ai toujours eu des chambres qui ont suscité l'admiration de mes amis et leur jalousie aussi.

Je n'ai encore accroché aucun *poster* aux murs. Toute ma collection d'instruments de musique se trouve dans les boîtes empilées dans un coin de ma chambre. Seules mes multiples séries de livres et de bandes dessinées sont bien rangées dans les grandes bibliothèques encastrées, toutes blanches aussi, comme le plafond et les murs. Mes livres me réconfortent. Ils m'ont toujours suivi, même si mon père n'arrête pas de me taquiner en me répétant que les livres sont ce qui coûte le plus cher lors d'un déménagement. Seulement, mes livres sont devenus davantage une décoration qu'un passe-temps. Cela fait plus de deux ans que je n'ai pas ouvert un livre sinon pour l'école. J'ai perdu le goût. Le goût de quoi, je ne le sais pas vraiment. Je n'ai plus envie de faire des efforts, d'essayer d'être la personne qu'on me demande d'être, une personne pour laquelle je ne ressens aucune affinité. Ce que j'aimais dans la lecture, c'était que je pouvais trouver des modèles qui m'inspiraient, qui me motivaient, des amis aussi, parfois. Mais depuis un bon bout de temps, j'ai de la difficulté à trouver des personnages auxquels m'identifier et m'accrocher, qui me donnent la force de m'affirmer. Je ne me sens bien que lorsque j'oublie mes problèmes, mon manque d'enthousiasme, qui je suis.

Dans un coin se trouve une table sur laquelle trônent un téléviseur et une console XBox. Une manette traîne sur le plancher. C'est à peu près la seule chose que je fais depuis que j'ai emménagé. Jouer à la Xbox. NHL, FIFA, NBA. Je suis un champion dans tous les sports. Sauf que je ne suis un sportif qu'à l'écran. En fait, je n'ai jamais vraiment essayé de m'entraîner. Pourquoi ? Probablement mon manque d'affinité avec moimême, avec mon corps que je trouve maladroit et bien entendu cette espèce de sentiment de ne pas être comme les autres. Je regarde la deuxième manette que j'ai déposée sur ma table de chevet tard hier soir. Mes yeux me démangeaient au point que je ne pouvais plus continuer à fixer l'écran. Je m'étais résolu à me coucher.

Aujourd'hui, après cette première journée minable à l'école, j'ai même perdu tout désir pour mes jeux électroniques. Une absence complète d'envie de décorer, d'organiser ma nouvelle chambre, de fréquenter cette nouvelle école, de me crever à dénicher un ou deux nouveaux amis, à me refaire une nouvelle vie. Ça fait depuis que je suis né que ça dure, presque seize ans. Je suis écœuré.

Quelqu'un frappe à la porte. Je me lève très vite tout en essayant de faire disparaître les plis de mon pantalon et de ma chemise. Ce soir, mon père donne sa première grande réception et je dois absolument être impeccable.

– Luc, mon chéri, c'est l'heure de descendre au salon. Les invités ont déjà commencé à arriver.

– T'inquiète, maman. J'enfile ma veste et j'arrive.

C'est l'heure. J'enfouis toutes mes mauvaises pensées dans un coin de mon cerveau. J'affiche un semblant de sourire. Je dois soutenir mon père et ma mère dans ce nouveau poste. J'empoigne mon veston, l'enfile en m'assurant comme toujours qu'il tombe bien en enfonçant tout au fond les revers de mes poches. En ressortant mes mains, j'entends de petits bruits, comme des petites roches qui rebondissent sur le plancher. Je me penche et aperçois trois petites boules de bois. Elles sont identiques à celles que l'on utilisait, Robert et moi, pour jouer au songo. Il me les avait données lors de notre dernière soirée, la veille de mon départ. Je le revois, les déposant dans mes mains. Je me rappelle exactement ce qu'il m'avait dit alors : « Luc, on ne se reverra jamais, je pense. Le Cameroun, c'est loin. On ne s'oublie pas. »

Puis, il m'avait pris dans ses bras. Je ne sais même pas si je dois sourire ou tout haïr en ce moment. Je suis heureux de repenser à Robert, d'entendre le son de sa voix dans ma tête même si ça me déchire une partie du cœur. Mon cœur. Il se met à gonfler comme s'il allait exploser. Je me précipite vers la fenêtre pour regarder à l'extérieur, agrandir l'espace. Toujours ces autobus rouges et ces taxis noirs qui n'arrêtent pas de circuler.

« Je t'en veux tellement, papa. Tu ne fais que penser à ta carrière. À toi ! Je t'en veux aussi, maman. Tu n'as jamais rien fait pour arrêter papa. Tu te laisses traîner d'un bout à l'autre du monde comme une doudou. Tu me disais que, lorsque tu étais jeune, ton rêve était de devenir avocate et que c'est pour ça que tu avais étudié autant. Tu n'es jamais allée jusqu'au bout. »

Respirer. Il faut que je me calme avant d'aller à la réception. Un dernier regard aux trois boules de songo de Robert.

En nous quittant, nous avions plein de bonnes intentions.

Robert n'avait pas Internet chez lui. À l'école, ce n'était pas fiable du tout, donc il était impossible de tenir une conversation sur Zoom, Face-Time ou WhatsApp. Robert ne pouvait utiliser son portable que pour aider son père avec son commerce de café. Les appels internationaux ne faisaient pas partie de sa réalité.

On s'était donc résolus à s'envoyer des *mails*.

Mais les messages se sont vite espacés, comme si la distance avait trop bousculé nos habitudes, fait baisser d'un cran notre niveau d'amitié.

Je peine à quitter les petites boules des yeux. Je sais que je n'oublierai jamais Robert. Comme j'aimerais pouvoir fermer les yeux et les rouvrir sous notre palmier. Robert l'avait baptisé le Grand Plumeau.

– On se rejoint au Grand Plumeau ?
– À quelle heure au Grand Plumeau ?

— Je pense que mon père donne une autre de ses réceptions au Grand Plumeau ce soir. Où est-ce qu'on se rejoint alors ? Ça va être compliqué.

Robert déambulait seul dans les rues de Yaoundé depuis qu'il avait sept ou huit ans. De mon côté, le soir, même si j'étais un adolescent, je ne pouvais pas sortir du terrain clôturé entourant l'ambassade, car ça pouvait être dangereux. Le grand palmier derrière était devenu notre repère.

Je me remémore la scène. Un soir de pleine lune. Un vent léger. Il ne fait ni trop chaud ni trop froid. On entend la musique en sourdine de l'orchestre de balafon du marché. Robert et moi nous défions au songo. Nous déployons chacun notre stratégie. Le temps passe plus lentement au Cameroun.

La porte de ma chambre s'ouvre avec fracas. Sandrine, vêtue d'une robe de soirée, ses cheveux bouclés tombant sur ses épaules, entre en coup de vent. Sans trop savoir pourquoi, je cache vite les petites boules derrière mon dos.

— Luc, tu le fais exprès ? Papa, maman, tout le monde t'attend !

Elle disparaît.

Je fourre les boules dans la poche de mon veston, puis me dirige prestement vers l'escalier. Avant d'amorcer ma descente, j'observe de petits groupes, dispersés un peu partout, discuter avec entrain. Des rires fusent à l'occasion. J'entends avec beaucoup de clarté la musique d'un orchestre de chambre. L'acoustique de cette maison est vraiment bonne.

« Les voilà. Ils sont tous là. Vite. Il ne faudrait pas que je ternisse la réputation du nouvel ambassadeur de France à Londres. À moins que… »

CHAPITRE 23

Le voyage quotidien

Sur le chemin du retour de l'école, je marche sur le trottoir avec ma sœur. Je ne sais pas pourquoi elle m'a proposé de rentrer avec elle. Ce n'est pas dans ses habitudes. Mais ça lui arrive à l'occasion de vouloir être aimable avec moi. J'ai le sentiment qu'elle ne m'aime pas vraiment, mais qu'elle me tolère, parce que je suis son frère et que, comme elle est ma grande sœur, c'est son rôle d'être là pour moi.

Son portable sonne.

– Oui, j'avais essayé de t'appeler. Maman, est-ce que je peux inviter Pauline et Héloïse à dîner vendredi avant de sortir ? On se rejoint avec le groupe vers vingt et une heures chez Hubert.

« Ça fait moins de deux semaines que l'école a commencé et elle invite déjà des amies à la maison. En plus, elle va à une fête ! Comment elle s'y prend ? Je n'ai parlé à personne, sauf lorsque j'ai dû travailler en équipe. Personne ne m'a remarqué. Quelle vie ! »

– Oui, oui, maman, les parents d'Hubert seront là.

« Peut-être qu'elle voulait marcher avec moi parce que je suis toujours seul et qu'elle a eu pitié de moi… Non. Ce n'est pas son style. »

— Maman, je vais avoir dix-huit ans dans quelques mois. Tout le monde va boire. Si je veux faire partie du groupe…

« Aie ! Ça y est. Elles vont recommencer à se chicaner. »

— Maman, je sais me contrôler, crie ma sœur.

En tournant au coin de la rue, je vois la résidence.

Ma sœur, qui n'est plus au téléphone, se dirige d'un pas pressé vers le vestibule et entre la première. Je la vois qui grimpe l'escalier en sautant le plus de marches possible. J'entends un claquement de porte tandis que je referme celle de l'entrée, massive et noire. Je suis incapable pour le moment d'appeler cette demeure, ma maison. Elle est si vaste que j'ai encore de la difficulté à bien m'orienter. Un personnel nombreux travaille dans la résidence, que je ne connais pas encore. Je sais que ça viendra un jour. Ça finit toujours par arriver. C'est une question de temps, rabâche ma mère. Je me demande si ce n'est pas pour se convaincre elle-même qu'elle me le répète sans cesse.

Je traverse tout le salon pour aller la saluer. Elle est assise derrière son imposant secrétaire, son regard rivé sur l'écran de son ordinateur. Son chignon châtain clair est parfait, comme d'habitude, son mascara et son rouge à lèvres appliqués avec précision. Des piles de livres et de feuilles de papier sont disposées avec soin sur le bureau. En dépit des nombreux déménagements, deux objets trônent toujours au même endroit, côte à côte, à l'avant du secrétaire : un prisme de cristal et un petit globe terrestre dont l'eau est rose (je me suis toujours demandé pourquoi quelqu'un achèterait un globe terrestre avec des océans qui ne sont pas bleus). Ce globe, à chaque fois que ma mère l'empoigne et s'approche de moi, des frissons me parcourent instantanément le dos. Mon souffle devient court. Je me dis qu'elle veut me faire découvrir un nouveau pays, qu'elle va me dire que c'est un endroit magnifique, que je vais apprendre beaucoup de choses.

« Non ! Non ! Je ne veux pas déménager, pas encore. »

Je sais bien que le coup du déménagement n'arrive qu'environ une fois sur dix. Parfois, ma mère veut me montrer une destination de vacances ou un endroit où mon père se déplacera pour son travail. Mais, depuis toujours, je suis en alerte, prêt au pire.

Le prisme de cristal appartenait à mon arrière-grand-mère maternelle. Rose Chevalier. Le nom est gravé en dessous. Quand j'étais jeune, il était strictement interdit d'y toucher. Mais les jours ensoleillés, alors que ma mère et le personnel étaient à l'autre bout de la maison, alors que je n'avais que cinq ou six ans, je ne pouvais m'empêcher de le prendre dans mes mains et de le déplacer vers une fenêtre jusqu'à ce que la magie s'opère et qu'un arc-en-ciel apparaisse. Et vite, je replaçais le prisme exactement à l'endroit où je l'avais pris. J'ai un vague à l'âme. Je me souviens du mélange de sensations extrêmes qui m'habitaient à ce moment exact. L'extase de voir apparaître les couleurs et la peur que quelqu'un me découvre. Aujourd'hui, je me tiens à distance des sentiments trop intenses. Je prends moins de risques aussi. Bien sûr que je n'ai pas osé provoquer d'incident, pas même une toute petite éclaboussure lors de la première réception de mon père. Même si j'aurais adoré, pour une fois, compromettre le foutu protocole.

Ma mère n'a pas bougé, la tête toujours baissée. Je sais qu'elle a entendu mes pas sur le parquet de bois frais verni résonner durant mon passage de part en part du salon.

Mais le fait est que ma mère est très occupée. Si elle n'est pas prise par son abondante correspondance, elle dresse des listes pour les multiples réceptions organisées à la résidence de l'ambassadeur. Personne ne l'a mise en charge. C'est elle qui l'a décidé.

Ainsi défile la « Liste » des listes :

— liste des invités (incluant le plan de table, s'il s'agit d'un dîner) ;

— liste de tous les plats qui seront servis et dans quel ordre ; même processus avec les boissons ;

— liste des musiciens, ainsi que les morceaux qui seront interprétés ;

— liste pour la décoration de l'entrée, de la grande salle à manger (comptant au moins vingt places assises) et sans oublier l'immense salon (celui-ci est disposé de façon à ce que les sofas et les fauteuils délimitent trois espaces accueillants. « Les petits groupes facilitent les échanges », répète ma mère) ;

— liste des protocoles vestimentaires que chaque membre de la famille portera selon l'occasion.

J'ai tellement entendu parler de toutes ces listes que je sens que je serais bien capable de les organiser moi-même, ces dîners diplomatiques. Ma mère aime contrôler et je dois bien le reconnaître, elle le fait à merveille, avec beaucoup de finesse. Sauf lorsqu'il s'agit de nous, ses propres enfants. Bien que nous soyons en âge d'être autonomes, elle a conservé le maniement des ficelles avec beaucoup trop de rigidité, d'où les nombreuses disputes entre elle et ma soeur.

Comme ma mère semble avoir déjà oublié ma présence, je me décide à l'aborder en premier.

– Salut, maman.

– C'est toi, mon chou ? Ta journée s'est bien passée ?

– Ouais.

– Jeannine vient de sortir des *cakes* du four. Va vite t'en chercher pendant qu'ils sont tout chauds.

La conversation est terminée. Je sais qu'il n'y a rien que ma mère ne ferait pas pour moi, mais elle est la femme de l'ambassadeur de France et, qui plus est, à Londres. C'est très accaparant. Je me convaincs qu'elle doit bien m'aimer, moi, Luc, son propre enfant. Pourtant ce n'est pas toujours facile à déceler.

Je refais le chemin en sens inverse pour me diriger vers le grand escalier. Entré dans ma chambre, je referme la porte, dépose mon sac près de mon bureau, enlève mes baskets et les range près de mon lit, m'y étend, ajuste mon oreiller et ferme les yeux. Enfin. Je peux oublier mon présent pour me souvenir de mon passé. C'est devenu un rituel. Au retour de l'école, je me remémore, avec le plus de détails possible, mon séjour dans le village de Robert, quelques mois avant de déménager à Londres.

* *
*

Robert habitait avec ses parents et son frère à Yaoundé alors que sa famille élargie venait du petit village de N'Kol Avolo, à une heure et demie en voiture. Durant les vacances de Pâques, la saison des semences, Robert allait toujours leur donner un coup de main. Il en revenait vidé, mais fier. C'était pour sa famille. Cette fois, il s'était mis dans la tête de m'amener avec lui. Ma mère n'avait, tout d'abord, pas aimé cette idée :

— C'est trop dangereux. Il va se faire piquer, attraper le paludisme et en mourir.

— Monsieur et madame Dubois, il n'y aura pas de problèmes. Je vais le surveiller comme si c'était mon propre frère. Ma mère va lui installer un filet pour le couvrir de la tête aux pieds lorsqu'il dormira. Je vous promets de veiller à ce qu'il porte toujours des vêtements longs.

— Et puis l'eau. L'eau ! L'eau des rivières est si sale.

— Madame Dubois, ne vous en faites pas. Je vais apporter une tonne de pilules pour javelliser l'eau. Elle sera désinfectée. Je vous l'assure, madame Dubois.

Après des jours de pourparlers et de réflexion, j'avais pu accompagner Robert à son village, mais pour deux jours et une nuit.

Je vois se dessiner la route de terre rouge formant des nuages de poussière autour de la voiture. C'est le grand frère de Robert qui est au volant de sa vieille Citroën verte compacte. J'entends les quatre cousins à l'arrière qui discutent avec animation du dernier match de foot opposant l'équipe du Dragon de Yaoundé à celle du Tonnerre. Jamais je n'avais imaginé que sept personnes puissent entrer dans une si petite voiture, manuelle par-dessus le marché. Comme je suis le plus chétif, on m'a placé près de Robert qui est collé sur la porte avant, côté passager. Je prends garde de ne pas gêner le conducteur à chaque fois que ce dernier change de vitesse, en me déplaçant un peu plus contre Robert. Le contact de ma cuisse avec celle de Robert me prend par surprise.

« Robert est vraiment musclé. Pourtant, je ne l'ai jamais vu s'entraîner. Il n'a pas besoin à ce que je constate. Sa cuisse est dure comme une roche. Je suis loin d'être comme lui, je suis plutôt squelettique. »

Même si le frère de Robert ne change plus de vitesse, je ne déplace pas ma cuisse qui est tout contre celle de Robert.

J'aperçois du mouvement en provenance du coffre entrouvert de la voiture qui roule devant nous.

— Robert, c'est bien des chèvres et des poules vivantes qui sortent leur tête du coffre de la voiture devant nous ?

— Oui. C'est pour les vendre au village.

À l'entrée du village se trouve un petit marché. Il y a beaucoup de monde. Certains crient avec fierté le nom des produits qu'ils vendent en offrant des rabais alléchants. D'autres palpent et sentent les différents produits, des mangues, des papayes, des avocats, pour déterminer leur fraîcheur. Il y a aussi des bananes plantains, du manioc qui ressemble à de grosses patates longues, du riz, des œufs. Puis, si le produit semble de qualité, débutent les négociations. Je me sens étourdi par autant de bruits et de senteurs. J'aperçois derrière quelques vaches maigres. Elles ont fait un long trajet à pied avant de se faire abattre au marché. Robert m'explique que c'est toujours mieux de les garder en vie le plus longtemps possible. En les tuant au marché, la viande demeure fraîche plus longtemps. Le frère de Robert pointe deux morceaux de bœuf étalés sur un kiosque de fortune construit avec des planches de bois. Le vendeur les empoigne après avoir pris soin de fouetter les mouches qui s'y étaient collées.

— Ouah! Luc, ma grand-mère te considère comme un invité spécial. C'est rare qu'elle cuisine de la viande. Hum! Avec son mélange secret d'épices!

Robert se frotte le ventre, les yeux mi-clos.

Robert est content de tout. Tout est facile avec lui.

« J'aimerais être comme lui. »

Le frère et les cousins de Robert se sont rendus à la maison de la grand-mère en voiture. Robert tenait à faire le chemin à pied avec moi. Il me donne la main, comme à son habitude.

Tout le monde connaît Robert et je me sens bien accueilli par des gestes de la main ou des « Bonjour, mon ami ».

Même si personne ne me connaît ici, je me sens déjà chez moi.

Je me sens fier de marcher avec mon ami dans son village. Je lui serre la main un peu plus fort.

Lorsque nous arrivons près de la maison de sa grand-mère, il n'y a personne. Aucun bruit. Tout le monde est dans les champs à planter des arachides. Je dépose mon sac dans une chambre tout en ciment. Cette fraîcheur me fait un bien fou. La chaleur est si accablante à l'extérieur.

J'entends alors des voix d'enfants qui rient. Je sors de la case. Les enfants ont tous un seau. Les plus grands transportent sur leur tête une marmite énorme. Ils se dirigent tous dans la même direction.

— Ils vont chercher de l'eau à la rivière. Nous irons bientôt pour nous laver.

J'aperçois une vieille femme qui transporte tout un tronc d'arbre sur sa tête. Je n'en crois pas mes yeux. Elle marche lentement en notre direction, dépose son fardeau. Robert s'élance vers la dame et ils se mettent à rire et à discuter. Je ne comprends rien à leur discussion, mais devine que c'est la grand-mère de Robert. Il m'avait prévenu qu'elle ne savait parler que le mvele, leur patois.

Robert, le sourire grand comme une demi-lune, s'approche de moi.

— Luc, je te présente ma grand-mère !

Je lui dis bonjour en hochant la tête. Je lui tends la main. Elle la serre bien fort. La peau de sa main est sèche et craquelée. Quel contraste avec celles de mes deux grands-mères qui sont si douces ! Elle me fait un large sourire. Je remarque qu'une dent à l'avant est manquante. Je ne sais pas du tout pourquoi, mais je sens que ça lui fait vraiment plaisir que je sois venu ici avec Robert. On n'est même pas capables de se parler, mais ses yeux, sa poignée de main… Je ne sais pas pourquoi, mais je me sens le bienvenu ici.

Vient l'heure de la douche. Il n'y a que des hommes à la rivière, les femmes et les enfants arriveront après. Robert m'indique une grosse roche, afin de me permettre de me décrasser un peu à l'écart.

Je me lave avec vigueur. L'eau glacée sur mon corps me fait me sentir vivant. Le bruit de la rivière, les arbres, le soleil, toute cette terre rouge. J'aurais le goût de crier combien je me sens bien, libre. Mon regard se pose sur Robert qui est dos à moi. Je m'immobilise. Il est beau. Ses épaules, son dos, ses fesses, ses cuisses.

Robert s'écrit :

— Pas trop froid pour toi, mon ami ?

— Non.

Stupéfait, je me retourne, puis enchaîne :

— Ça me fait vraiment du bien !

Même si je commence à geler, je me rince en continuant d'observer ses épaules, ses bras, son torse, ses jambes.

J'aimerais être comme Robert. Fort, sûr et joyeux.

Le lendemain, Robert doit travailler toute la journée au champ. Je décide de faire comme lui. Mais ce sera à une condition :

— Aussitôt que tu te sentiras fatigué, je veux que tu viennes me voir. C'est compris ?

Robert avait promis à mes parents de prendre soin de moi. Je devais revenir à Yaoundé en bonne santé. Robert m'enfonce un large chapeau de paille sur la tête et me remet une binette et un petit récipient de métal rempli d'arachides.

Courbé, les tempes dégoulinantes, je fais un trou avec ma binette, y lance une cacahuète et referme le trou en pressant fort pour bien recouvrir la semence. Le soleil est torride. Après trois heures passées à répéter ces mêmes gestes, je sens ma tête qui tourne. Je vais voir Robert qui en est à son quatrième rang, alors que je n'ai même pas terminé mon deuxième.

— Robert, je pense que je vais faire une petite pause.

Assis à l'ombre d'un palmier, je regarde ma main droite. Quatre grosses bulles sont apparues. J'observe les gens s'activer. De vieilles femmes comme la grand-mère de Robert sèment les arachides les unes après les autres sans faire une seule pause. Font de même de jeunes mamans, leur bébé accroché au dos. Comment ils font pour travailler aussi longtemps avec toute cette chaleur ?

« Je n'ai que quinze ans et j'en suis incapable. »

Je marche en direction du village. Je pense à la France, mon pays natal. Je suis frappé par tant de différences. La France et le Cameroun. Je ne peux concevoir que ces deux pays fassent partie de la même planète ! Une main sèche, une main douce.

C'est déjà la fin du séjour. Assis à l'avant de la maison, j'aperçois Robert qui accourt des champs. Il n'a pas fait une seule pause, pas même pour le déjeuner et, pourtant, une énergie et une légèreté se dégagent de lui.

— Dis donc, je vois que tu as déjà préparé tes bagages. Viens, je t'amène à l'autobus. Il ne faut surtout pas que tu le manques. Tes parents t'attendent pour le dîner.

Avant de monter à bord de l'autobus, je serre Robert dans mes bras. Ce n'est pas mon genre d'étreindre les gens. Mais c'est tout ce que j'ai trouvé à faire pour lui témoigner ma gratitude et pour cacher les larmes que je sens me monter aux yeux.

À travers la vitre de l'autobus, j'échange des signes de la main avec Robert jusqu'au moment où je ne le vois plus. Ces moments avec mon ami m'avaient donné une énergie que je ne voulais pas chercher à m'expliquer.

* *
*

Voilà à peu près le film qui se déroule dans ma tête, jour après jour. À force de répéter cette gymnastique mentale, de nouveaux détails me reviennent en mémoire tandis que d'autres disparaissent. Lorsque j'ouvre les yeux, je prends du temps à reconnaître ma chambre. Mais je me sens bien. Mon petit voyage quotidien m'aide à oublier ma vie ici. Sans ami.

CHAPITRE 24

La rencontre

J'étouffe. J'aimerais partir. Être quelqu'un d'autre. En classe fin septembre, mon besoin d'être près d'une fenêtre est devenu une obsession. Une question de survie. Regarder au loin le ciel, les nuages qui se déplacent, disparaissent.

« Mais qui me donne des coups de coude comme ça sur le bras ? »

Je me retourne, agacé.

« C'est cette fille bizarre qui arrive toujours en retard ! Elle est en train de me regarder fixement. »

– Mais t'étais où là ? J'suis juste à côté de toi et ça fait trois fois que je dis ton nom !

– Euh. Excuse-moi. Je t'avais pas entendue.

La fille s'assoit sur la chaise à côté de moi. Elle porte son manteau et ses bottes de cuir noir comme tous les jours. Elle me tend la main avec assurance. Je fais de même, en m'efforçant de la regarder dans les yeux comme je l'ai appris.

– Salut, Luc, moi, c'est Simone.

« Mais qu'est-ce qu'elle me veut ? »

C'est alors que j'aperçois sur son t-shirt la couronne de la reine d'Angleterre sous laquelle il est écrit *Keep Calm and…. Call* BATMAN ? Au moins, elle a de l'humour.

— Alors, voilà. T'es nouveau, et moi j'suis nouvelle. Même si ça fait un mois que l'école a commencé, on est encore tous les deux *out*. Je commence à trouver ça assez chiant. Tu veux aller au resto Prêt avec moi pour un sandwich ou sinon des sushis à Itsu ? J'aime pas trop dépenser pour mes déjeuners à l'école. Je préfère mettre mon argent ailleurs.

Fière, elle ouvre un pan de son manteau et montre l'étiquette de la doublure. J'aperçois deux C qui se chevauchent. Chanel.

Je ne dis rien. Je me tourne vers la professeure de français.

Chanel, la même marque que le sac à main le plus précieux de ma mère. Mon père le lui a offert lors de sa grande annonce : « Chérie, pour toi, pour la future femme de l'ambassadeur de France à Londres ! »

Ma mère n'avait pas voulu utiliser son sac au Cameroun. Elle le gardait pour faire sa grande entrée au Royaume-Uni.

— Bonjour, tout le monde ! s'exclame Mme Paternot qui balaie du regard tous les élèves d'un mouvement circulaire et poursuit avec entrain :

— Comme je vous en ai déjà parlé, notre prochain module portera sur la poésie.

Un petit papier tout plié atterrit sur ma table tandis que Simone se lève et va se rasseoir à sa place habituelle à l'arrière, près de la porte. La professeure qui ne se laisse pas incommoder facilement continue sa présentation comme si rien ne s'était passé.

— Pour ce semestre, je veux vous proposer un projet tout à fait différent. Connaissez-vous le duo MétroNumb ?

Ça ne me dit rien, mais j'observe plusieurs mains levées, incluant celle de Simone.

Je choisis ce moment pour saisir le papier, le placer sous la table et le lire discrètement : *Cool ! RDV 12:30 à l'entrée. S.*

« C'est qu'elle est décidée, cette Simone. »

La professeure, ravie que tant d'élèves connaissent MétroNumb, poursuit.

— Pour ceux qui ne le savent pas, MétroNumb est un groupe qui fait du slam. Ils ont organisé un concours international francophone pour les jeunes à travers le monde. Dans le cadre de notre module sur la poésie, j'ai décidé que tout le monde allait écrire un slam. De plus, ceux qui voudront pourront participer au concours !

Tout en parlant, elle distribue une affiche à chacun des élèves.

MétroNumb

présente

CONCOURS INTERNATIONAL FRANCOPHONE DE SLAM

Édition jeunesse

Prestation des finalistes sur scène à Paris
Dévoilement du grand gagnant
Jury composé des membres de MétroNumb

Date limite de soumission des textes :
15 novembre à minuit

Depuis mon arrivée à Londres, je suis habitué à être seul. C'est pourquoi, ces deux dernières semaines, la présence exubérante de Simone m'étourdit un peu. Elle marche vite, parle vite, mange vite, comme si elle avait toujours une urgence à régler. Elle aurait aimé devenir policière ou ambulancière, mais dans sa famille, les études universitaires sont obligatoires. Et puis, ses parents lui ont fait réaliser qu'elle ferait mieux d'étudier dans un domaine beaucoup plus lucratif si elle voulait continuer à s'acheter des vêtements de marque.

Je dois l'admettre. Je me sens moins isolé. Simone est très enjouée et a toujours des histoires rocambolesques à conter.

Elle m'a raconté qu'elle a un copain depuis l'été dernier. Il vit en Espagne. C'est là qu'elle habitait avant de déménager à Londres. Elle a rencontré Pablo en vacances, alors que leurs familles faisaient partie d'une flottille de dix voiliers. Tandis qu'ils naviguaient à travers les îles Canaries, ils ont fait face à une vraie tempête avec des vents violents. La voile de devant s'est même détachée du mât. En plus d'avoir eu peur, Simone a été très malade. Pablo avait bien tenté de lui refiler des médicaments contre la nausée, mais rien à faire. Il avait fallu attendre le soir, à la marina, pour que tout rentre dans l'ordre. Simone n'est pas fière d'avoir eu mal au cœur, mais elle croit bien que c'est grâce à cela que Pablo l'a remarquée. « *Tu eres muy valiente y muy guapa*[9]. »

---

9. Tu es très courageuse et très jolie.

* *
*

En sortant du cours d'histoire, Simone décide de se planter droit devant moi.

— Dis donc, Luc, c'est à ton tour. T'as une amoureuse ? T'es assez beau gosse.

Elle me passe la main dans les cheveux.

— Non, répliqué-je, d'un petit ton sec.

Ce n'est pas comme ça que j'aurais voulu lui répondre. Je baisse les yeux. J'ai le regard aimanté par le carrelage beige du plancher. Mon cœur se met à paniquer. Robert. Pourquoi est-ce que c'est toujours à lui que je pense ? Simone, elle est juste à côté de moi. Elle a du style. Elle est jolie. C'est vers elle que je devrais être attirée. Robert. Si ça pouvait passer. Aimer un garçon. C'est trop compliqué. Je ne veux pas y penser.

Je réussis à peine à me calmer. Je commence à marcher en direction opposée à Simone. Sans me retourner, je lance d'une voix cassée :

— C'est l'heure d'aller en cours de français. On est en retard.

— Mais attends-moi, s'écrie Simone qui empoigne rapidement son sac et court me rejoindre.

Arrivée à ma hauteur, Simone s'exclame :

— C'est aujourd'hui que la prof nous a dit qu'elle allait nous rendre la copie de notre slam.

Elle ne semble même pas avoir remarqué mon embarras. Elle continue.

— Je crois qu'elle a dû aimer mon choix. C'est sur les inégalités entre les filles et les garçons. J'aime faire des slams ! J'adore dire ce que je pense. Ce serait tellement super si je gagnais le concours.

J'ai réussi à retrouver un peu de mon aplomb. Je lui dis que j'espère qu'elle gagnera, mais que, de mon côté, ça ne m'inspirait pas tellement. Après plusieurs hésitations, j'avais décidé de formuler des revendications autour des changements climatiques, inspirées de mots dont j'avais fait la liste. J'avais passé (perdu) pas mal de temps à ne trouver que des mots de dix lettres. Je ne sais pas pourquoi j'ai fait ça.

Changements climatiques

Changement : ahurissant, totalement, rapidement, revirement, violemment
Climatique : bronchique, horrifique, académique, historique, zoologique

Je savais d'avance que c'était mauvais.

En entrant dans la classe, j'aperçois la professeure qui est debout, les copies de slam à la main. Elle porte un chandail bleu royal exactement comme celui de ma mère.

« Oh non ! Ça ne peut pas être un bon signe. »

Mme Paternot attend patiemment que tous les élèves s'assoient, puis remet les copies à chacun.

– Il vous reste encore deux mois pour retravailler votre slam avant de l'envoyer au concours. Certains ont eu plus de facilité que d'autres. Ne désespérez pas. Comme le dit Grand Corps Malade, le célèbre slammeur français : « Alors, va falloir inventer avec du courage plein les poches. » Continuez de bien travailler et n'hésitez pas à venir me voir !

Je vois beaucoup de ratures en rouge sur ma feuille. À l'arrière, je lis :

Luc, je vois que tu as fait des efforts quant au choix de ton vocabulaire. Cependant, ce n'est pas un travail argumentatif que je recherche. Je veux voir des images, des émotions, du rythme. Je veux savoir ce qui te transporte. Je n'ai pas senti que tu t'étais investi personnellement dans ton slam. Tout est en superficie. Est-ce que les changements climatiques, c'est un sujet qui t'anime vraiment ? Mets ça de côté pour quelques jours. Demeure à l'affût. Je suis certaine que tu arriveras à trouver un thème, une cause qui te touche vraiment, sur laquelle tu as des choses à dire. De là, amuse-toi avec les mots. Fais-les rimer, rythmer. Je veux que tu reviennes avec un nouveau slam d'ici un mois. Je voudrais pouvoir le lire et savoir que c'est toi qui l'as écrit. Et surtout, n'hésite pas à venir me voir si tu as des interrogations. Courage, Luc !

Je cache rapidement ma copie dans mon sac. L'un des travaux les plus nuls de mon existence. Je ne sais absolument pas comment je vais faire pour écrire un slam. Rien ne me touche, surtout depuis que je suis à Londres. Ou, plutôt, je refuse de ressentir quoi que ce soit. Je ne pourrai pas arriver à montrer à la professeure qui je suis, parce que je ne le sais pas ; en fait, je ne l'accepte pas. Jamais. Je me dégoûte moi-même. Simone est là, comme une béquille. Je sais bien qu'elle finira par me laisser tomber.

CHAPITRE 25

Tout vient de s'écrouler en dedans

Assis à la cafétéria en face de Simone, j'engloutis la dernière bouchée de mon hamburger. Je termine ma boisson jusqu'à la dernière goutte en m'amusant à faire beaucoup de bruit avec ma paille. Ce n'est pas dans mes habitudes, mais aujourd'hui, je me sens particulièrement en forme. Je me suis réveillé ce matin d'une humeur excellente et dont je ne me croyais plus capable. La nuit dernière, j'ai rêvé de Yaoundé, de Robert, de notre amour.

Encore ce matin, tout est limpide dans ma tête. Comme à l'habitude, Robert et moi nous rencontrons à l'école.

– *Je suis si heureux, Luc, que nous soyons à nouveau réunis.*

Robert affiche son grand sourire lumineux.

– *Moi aussi, Robert, je suis si content. C'est vraiment un rêve magnifique que je suis en train de faire.*

Robert me répond avec assurance :

– *Luc, mon ami, ce n'est pas un rêve, nous sommes bel et bien ensemble.*

– *Ce n'est pas possible ! J'habite à Londres.*

– *Si tu étais à Londres, tu ne te sentirais pas aussi bien.*

Nous nous serrons dans les bras l'un et l'autre. Je me sens chez moi. Ça ne m'était pas arrivé depuis si longtemps. C'est vrai. Robert a raison. Je ne suis pas en train de rêver. Nous sommes ici, en même temps ! Alors que j'étreins Robert davantage, mon cœur se met à battre dans toutes les directions.

– *Dis donc, Luc, t'as pas besoin de te débattre comme ça. Ça va aller. Regarde-moi.*

Nous nous regardons tous les deux droit dans les yeux. Nous nous embrassons. Tandis que, dans ma tête, j'entends Robert qui me répète :

– *Ça va aller.*

C'est alors que je m'étais réveillé. Le baiser m'avait un peu surpris, mais en même temps, je ressentais encore si bien la présence réconfortante de Robert que je me sentais tout simplement bien. Cela faisait si longtemps que ça m'était arrivé. Je m'étais dit qu'aujourd'hui j'allais en profiter. Je voulais faire confiance en la personne que je suis, en cette journée qui commençait dans la joie. J'avais également compris que la présence quotidienne de Simone contribuait à me faire accepter qui je suis, à repousser l'immense cafard dans lequel j'étais plongé depuis un moment, surtout depuis le déménagement.

Je pose mon verre. J'ai avalé sans en laisser une miette le merveilleux menu *fast food* de l'école. Simone, qui attendait ce moment avec impatience, se lève d'un coup.

– Viens, Luc, suis-moi, n'essaie surtout pas de me poser une question.

Elle s'arrête au fond d'un couloir, met son index sur sa bouche en ma direction, puis regarde autour d'elle. Simone ouvre une porte que je n'avais jamais remarquée. La salle est remplie de matériel pour les cours d'art : des cartons, de la peinture, des dizaines de pots de colle, des ciseaux, une vieille maquette…

« C'est cool. Mais qu'est-ce qu'on fait ici ? »

Simone inspecte d'un coup d'œil la pièce. Elle saisit deux chaises (en faisant un peu trop de bruit, puis se ravise aussitôt) et les dispose l'une en face de l'autre.

— Assois-toi, Luc. Fais comme chez toi !

Simone fait apparaître de nulle part des Skittles, un sac de chips, une barre de chocolat et deux Frappucino.

— Tiens, au caramel, comme tu aimes !

— Mais qu'est-ce qu'on fait ici ? On doit justement être en cours d'art.

— Pas de cours d'art pour aujourd'hui ! La prof est déjà passée ici et elle ne reviendra pas avant cinquante minutes. On fête notre vingt-cinquième anniversaire !

— Anniversaire de quoi ?

— Ça fait vingt-cinq jours qu'on est amis ! Santé !

— Simone, t'es cool !

Après s'être remémoré notre première rencontre, on a discuté de mon slam qui me tourmentait toujours autant. Je n'arrivais même pas à trouver un thème. Alors que nous faisions la liste de différents sujets, Simone m'annonce tout d'un coup qu'elle ne sort plus avec son copain espagnol. Elle me dévisage d'un regard très sérieux et tend ses lèvres comme si elle allait m'embrasser. Je me recule.

— Que fais-tu, Simone ?

— Je te faisais mon grand numéro de séduction. Mais à ce que je vois, tu n'es pas du tout intéressé, répond Simone d'un air narquois.

— Simone, c'est pas ça.

— Luc, t'en fais pas, j'étais pas vraiment sérieuse. Tu sais, j'aime passer du temps avec toi, mais t'es pas exactement mon genre de mec.

Mes mains tremblent. Je dépose mon verre sur le coin d'une petite table.

— Qu'est-ce que t'as, Luc ! T'es tout blanc.

— Simone, tu sais, je me suis posé très souvent la question, mais je ne suis pas attirée par toi. Non, je veux dire, c'est pas seulement toi. Je ne suis pas attiré vers les filles…..

— Ah… Tu veux dire…

— Que je suis gay ! Je suis gay, Simone.

Elle ne dit rien. Pourquoi j'ai dit ça ? C'est ça, elle va me rejeter. Je le savais. Le silence qui suit m'est infernal, d'autant plus que Simone parle tout le temps d'habitude.

— Luc, pour moi, ça change rien du tout que tu sois gay.

« Ouf ! »

Simone enchaîne.

— Y'a pas de problème.

— Non ! Non, Simone ! Tu es la première personne à qui je le dis. C'est la première fois que je prononce ce mot à voix haute. Ce matin, je pensais que, finalement, je pourrais me sentir bien avec qui je suis. Mais là, je réalise que j'ai peur, que je ne veux pas être gay ! Qu'est-ce que je vais faire ? Pourquoi moi ?

Simone tente de poser sa main sur mon bras. Je la repousse.

— Luc…

— Non. Laisse-moi parler.

Je demeure muet, immobile. Le bruit des jacassements d'une bande d'élèves camoufle mon silence.

— Ça fait des années que je me sens différent, mais j'ai toujours réussi à me raconter des histoires pour ne pas le voir. Je me hais tellement de ne pas pouvoir choisir par qui je suis attiré.

Je fixe Simone. Elle se mord la lèvre. Il ne faut pas que j'arrête de parler, car sinon c'est elle qui va se mettre à parler et je vais perdre le peu de courage qu'il me reste.

— Simone, maintenant je sais que ça ne change rien pour toi que je sois gay. Le problème, c'est que je veux une vie comme tout le monde. Je me suis toujours vu avec une fille et des enfants. Je vois déjà ça d'ici. Luc, homosexuel, fils de l'ambassadeur de France. La honte. Mes parents pourront jamais accepter ça. Ils vont tout faire pour que je ne sois plus gay. Et puis, il y a tout le monde autour de moi, à l'école. Je veux juste une vie normale. Est-ce que tu comprends ?

Je m'affaisse sur ma chaise. Je n'arrive plus à parler, à bouger. J'ai mal au cœur, au ventre. Tout vient de s'écrouler en dedans.

CHAPITRE 26

L'invitation

J'ouvre la fenêtre de ma chambre. Début novembre, il fait plus froid. Une petite brise entre, revivifiant tout sur son passage. Je prends une grande respiration. Ça sent les feuilles mortes, celles qui craquent en marchant. J'observe le feuillage jaune brillant d'un arbre juste en face de chez moi. Tout en bas, le jardinier s'affaire parmi les nombreuses boîtes à fleurs en fer forgé noir brillant devant la résidence. De petits arbustes ronds ou carrés d'un vert éclatant côtoient des fleurs violettes et blanches. Je suis toujours ébahi de voir combien ma mère ne perd pas une minute pour ses aménagements floraux, peu importe les intempéries du pays. Je reconnais que c'est très beau et qu'elle a du goût. Le texto de Simone reçu hier soir trotte dans la tête.

> **SIMONE**
> Comment tu vas? On va voir un film demain?
> 21:55

Elle ne m'a pas laissé tomber ! Je ne l'ai pas déçue. Depuis que je lui ai dit, je me sens moins seul. Et un peu plus moi-même. C'est comme si j'étais un menteur et que je commençais finalement à dire la vérité. Mais je ne veux pas être gay... Je frissonne. Alors que je ferme la fenêtre, le soleil laisse passer un grand rayon qui m'enveloppe et me réchauffe. Je me retourne. Ma chambre est couverte d'une pellicule dorée. Après plus de deux mois à défaire des cartons et à placer toutes mes choses au bon endroit, tout est enfin à sa place. Même mes affiches sont accrochées au mur. Six. Un chanteur pour chaque pays où j'ai habité. Sur celle qui est camerounaise, toute neuve, se trouve une photo de Petit Pays, l'un des trente *tops* chanteurs africains. Ses chansons tournaient régulièrement au marché de Yaoundé.

Ça fait longtemps que je n'ai pas écouté de musique, enfin, de musique entraînante. C'est aujourd'hui que je vais mesurer la puissance de mon nouveau haut-parleur portatif ! Je sors mon portable de la poche arrière de mon jeans, clique sur Spotify et sélectionne Petit Pays.

+ *Muto*

+ *Mulema*

+ *Les Pédés*

+ *Jambo*

+ *Sans toi*

Je sursaute. J'avais oublié le titre *Les Pédés*. En fait, il a toujours été interdit que j'écoute cette chanson étant donné que le mot « pédé » peut être jugé très péjoratif. Je n'en ai pas fait de cas à ce moment-là. Mais c'était avant que je ne prenne conscience que ce n'étaient pas les filles qui m'attirent, mais les garçons. Je suis curieux.

Je place mon doigt au-dessus de la chanson *Les Pédés*, mais hésite. Je ne peux pas croire que je suis un gay qui va écouter une chanson sur les gays. Je revois Simone dans la petite salle de rangement pour le cours d'art plastique qui me dit : « Y'a pas de problème. » Je prends une grande respiration. « Je suis gay. C'est ce que je suis. C'est pas un problème. » Je veux cliquer sur la chanson. Mon doigt atterrit plutôt sur un moteur de recherche. Je m'assois sur mon lit et tape frénétiquement : « Je sais que je suis gay, mais je ne l'accepte pas. » Je suis redirigé sur la page Web : forum-ados.fr. Je suis surpris par la multitude des réponses.

« Au début, lorsque je m'en suis rendu compte, je me dégoûtais. J'étais en colère de ne pas pouvoir choisir par qui j'étais attiré. Puis, j'ai réalisé que je n'allais pas changer mon orientation. Ça m'a pris du temps, mais là, je peux te dire que je me sens bien. » (Benoît, 17 ans.)

« J'ai réalisé que c'est important d'être vraie. Je sais que je suis gay et que je le serai pour le restant de mes jours. » (Jasmine, 15 ans.)

« Accepte-toi comme tu es. Fais des choses que tu aimes. Donne-toi des buts. En te réalisant, tu vas te sentir mieux. Arrête de t'en faire. Ça va venir. » (Alex, 18 ans.)

« Ne reste pas isolé, ça ne sert à rien de tourner en rond dans ta tête. Va rencontrer d'autres personnes, gaies ou non. » (Claude, 17 ans.)

Je me sens tout à coup soulagé. Ma tête, mon cou, mes épaules se relâchent. Je ne suis pas le seul. Il y en a plein d'autres comme moi. Je le sais que je suis gay. « Y'a pas de problème », disait Simone. Je ne peux plus me cacher. Hum... en tout cas, me le cacher. C'est terminé.

Je me lève, décidé. Je clique sur l'icône de Spotify, puis sur celle *Les Pédés*. La musique de *makossa*, entraînante, se met aussitôt à emplir la chambre. Les sons de tambours, de guitares électriques, de zanza et de balafon me transportent aussitôt dans les nombreuses fêtes camerounaises où j'avais bien dansé. Je revois ces gros xylophones en bois qui font un bruit si grave et si doux à la fois. C'était inévitable. Je commence à me dandiner les fesses, timidement, puis c'est tout mon corps qui se laisse entraîner par le rythme enjoué. J'agite mes bras de haut en bas au rythme de mes pas, exactement comme je l'avais appris au Cameroun.

La voix de Petit Pays avec son accent chaud et rond bien camerounais me rend fou de joie.

Ça choque les autres, ça dérange.
L'amour n'a pas de frontières.
J'adore mon gars, j'aime mon gars.
On s'en fout des autres.

La chanson joue en boucle. Je ferme les yeux. Je chante avec le chanteur, dans ma tête. Je me sens comme si j'étais Petit Pays. Libre.

Puis, je mets une autre chanson de Petit Pays : *Muto*. Son plus grand succès. En patois. De sa ville natale, Douala. Je commence à tourner en rond, de plus en plus vite, les bras grands ouverts. Je souris. Mais je suis vite étourdi. Mani Bella, « la sulfureuse », prend la relève et se met à chanter *Pala Pala*. Je recommence ma danse du début, agitant les bras de haut en bas. Bientôt, accaparé par la chaleur, je ralentis la cadence, mets mon portable sur pause et m'écroule sur mon lit. Je regarde au plafond, heureux d'entendre mon souffle court.

« Ouah ! Ça fait longtemps que je ne me suis pas senti comme ça, *happy* ! »

Je me lève et vais me placer devant le miroir. Je replace la mèche de cheveux qui me tombe sur les yeux, puis me colle sur la glace pour scruter mon visage. Mon acné est maîtrisée. Je me recule et passe en revue mon look : t-shirt noir, jeans, baskets Adidas bleu foncé. Je ne trouve pas que j'ai l'air gay. Même si je le suis. Je plie et contracte mon bras droit, puis le gauche, pour observer mes biceps. Mon sourire rapetisse.

« C'est clair que je n'ai pas bougé depuis que je suis arrivé à Londres. Je pourrais peut-être m'inscrire dans un centre de sport pour faire de la musculation. »

– Luc, ôooooh !

Je cache mes deux bras derrière mon dos. Merde. Sandrine qui m'appelle. En Camerounais ? Je m'éloigne en sursaut du miroir.

Alors que ma sœur ouvre la porte, je marche comme si de rien n'était en direction de la fenêtre.

– Ça chauffe ici ! J'ai entendu Petit Pays. Ça faisait longtemps. *Les Pédés*, *Muto*, *Pala Pala* aussi ! Trop Bon ! Je peux pas m'empêcher de danser quand j'entends du *makossa*.

Sandrine fait rouler ses épaules, alors qu'elle fait trois petits tours avec son bassin.

Je l'observe les yeux rieurs et réponds.

– Hum, moi, ça dépend… je veux dire, je trouve ça bon, mais je danse dans des endroits hum... plus cool que dans une chambre. En tout cas, on peut dire que t'as pas perdu le rythme.

– Un compliment ! Avec le sourire ! Hé ben, dis donc, t'as l'air vraiment en forme aujourd'hui ! Je suis vraiment contente de voir ça ! Tu sais, je me faisais du souci pour toi. Ces derniers temps, t'avais l'air dans ta bulle, et pas super de bonne humeur. T'étais toujours enfermé dans ta chambre... J'y pense. Si t'aimes danser dans un endroit cool, tu pourrais venir à la fête de ce soir. Il devrait y avoir beaucoup de monde. Invite ton amie, Simone, c'est ça ? Tu me l'confirmes au dîner, OK ?

– OK. Je vais texter Simone tout de suite ! Euh... Merci !

Je me mets à chercher mon portable que j'avais laissé traîner sur mon lit tout en lançant un « T'es vraiment sympa » à ma sœur. Trouvé ! Tandis qu'elle quitte ma chambre, j'envoie mon message.

« C'est pas possible. Ma sœur qui m'invite à une fête ! Je pensais qu'elle me détestait, qu'elle me trouvait nul. Je croyais qu'elle savait même pas que j'existais. Je comprends pas. Ouah ! Ma première fête à Londres, avec Simone ! C'est top ! »

Je regarde mon portable. Simone ne m'a pas encore répondu.

« Peut-être qu'elle ne veut pas y aller avec moi. C'est vrai, c'est peut-être pas une bonne idée, je suis pas assez cool. »

LUC

J'pense que je vais pas y aller finalement.

13:15

Toujours pas de réponse de Simone.

« Non, c'est sûrement pas une bonne idée. »

> **LUC**
>
> C'est pas une bonne idée. Je suis pas prêt. Une fête. J'ai aucune idée de comment me comporter.
>
> 13:20

Simone ne me répond pas.

« Ça y est. Elle m'a laissé tomber. Qui voudrait aller à une fête avec un gay ? Et si les gens pensent qu'on est ensemble, ça va lui enlever des chances de se trouver un copain. Puis moi, comment est-ce que je pourrais même me trouver un copain ? Comment est-ce que je vais faire pour savoir qu'un gars est intéressé ? Je suis vraiment, mais vraiment pas rendu là. Non. Je peux pas aller à cette fête. »

J'entends ma soeur crier du rez-de-chaussée.

— Luc !

Je sors de ma chambre en trombe.

— Sandrine ! Qu'est-ce qu'y a ?

— C'est Simone qui vient d'arriver !

« Quoi ? Qu'est-ce qu'elle fait ici ? »

— J'arrive ! m'exclamé-je en dégringolant les escaliers.

« Je ne comprends plus rien ! »

J'arrive droit devant Simone qui est toujours aussi décontractée, un sourire narquois aux lèvres. Je m'efforce de lui parler lentement dans l'espoir de dissimuler mon trouble.

— Salut ! Mais qu'est-ce que tu fais ici ?

— Qu'est-ce que tu dirais si on allait s'acheter des fringues pour ce soir ? Tu me connais ! Je ne peux pas rater une occasion comme celle-là !

— Mais….

— Je sais ce que tu vas me dire. Mais Luc, arrête de te poser des questions. T'as juste une chose à faire, être toi-même. C'est comme ça que tu dois être à la fête. Moi, je te trouve super comme t'es. T'as rien besoin de changer. T'as juste à être toi !

Je suis immobile, pensif.

— T'as peut-être raison. Faut juste que je sois moi-même, comme d'habitude.

— Allez, viens ! On part à la conquête !

— Attends une minute, Simone.

Je fais un petit sourire en coin.

— J'ai décidé de commencer à être moi-même tout de suite.

— C'est super, Luc !

— Du coup, il faut que je te dise un truc. Je déteste faire du shopping.

— Ça, je le sais depuis longtemps…

Elle me zieute de bas en haut.

— Et c'est pour ça que je suis venue !

Je me retrouve bras-dessus, bras-dessous avec Simone qui m'entraîne à l'extérieur de la maison, à l'écouter bavarder sur les vêtements que je dois absolument me procurer.

CHAPITRE 27

La fête

— Mais c'est du délire ! C'est du délire ! s'exclame Simone. Ce tissu est le plus doux que j'ai jamais touché de toute ma vie ! Et cette couleur bleue, elle fait ressortir tes yeux. C'est hallucinant !

Lorsque je me regarde dans le miroir de la boutique, je suis moi-même étonné par mon regard : des milliers de petits morceaux de verres bleutés brillent dans tous les sens.

— Luc, y'a pas un gars qui va te résister !

Simone m'ordonne d'acheter le pull. Ce que je fais sans hésiter, même s'il est beaucoup plus cher que ce que j'avais prévu dépenser.

Dans ma chambre, mon reflet dans la glace me confirme que mon achat a valu le coup. Je m'affaire à bien placer certaines de mes boucles blondes rebelles et m'empare de mon parfum. J'y vais d'un pschitt dans le cou, suivi de près par un autre. Une grande respiration. Je ne sens presque rien avec ce pull.

J'ajoute un troisième jet, moi qui n'en applique qu'un seul pour me rendre à l'école. Mais ce soir, je vais à une fête. Je sais que les autres vont en mettre plus que d'habitude.

Et vlan pour le quatrième pschitt. À ce moment, ma mère entre dans ma chambre, se pince le nez avec une mimique digne d'une grande actrice de cinéma, tout en déclarant d'un ton sans réplique que, si je veux aller à la fête, je dois changer de pull et reprendre une douche. Sachant qu'argumenter est vain (surtout que je n'ai pas une minute à perdre!), je m'exécute du plus vite que je peux.

J'entre en trombe dans le salon tandis que mes parents dégustent un verre de vin. Ils sont installés à chacune des extrémités du canapé crème, à écouter de la musique jazz.

« Encore! Keith Jarrett a fait autre chose que le concert de Cologne. »

— Et maintenant, ça va? m'exclamé-je d'un ton un peu contrarié. Simone m'attend à la station de métro depuis cinq minutes.

Ma mère me fait signe de m'approcher. Je passe devant mon père qui fredonne.

« C'est vrai que c'est de loin son meilleur concert. »

Ma mère fixe du regard l'accoudoir du canapé. Je m'empresse de m'y asseoir. Elle me passe un bras autour de la taille, puis s'approche pour mieux me sentir.

— C'est beaucoup mieux, mon chéri!

Je déteste être en retard. Je dois quitter mes parents au plus vite. La bénédiction de ma mère reçue, je lui dis au revoir tout en lui effleurant à peine le front de mes lèvres.

— Ne rentre pas plus tard que ta sœur, Luc!

– Oui, maman, réponds-je, tout en m'élançant en direction de l'entrée, tentant de cacher mon exaspération.

Je fais un signe de main rapide à mon père au passage.

– N'oublie pas, Luc, que les filles aiment les garçons qui savent se comporter en gentleman ! Cette petite Simone...

– Papa ! Simone, c'est mon amie. Putain, c'est dingue ce que vous pouvez être *relous*[10] !

Je m'en vais d'un pas décidé vers la grande porte d'entrée, l'ouvre et la referme le plus vite possible. Je me dirige enfin en direction du métro pour rejoindre Simone, ressassant les propos de mon père un peu plus tôt au dîner. Mon père croit que l'amitié entre une fille et un garçon, ça n'existe pas. Il met tout cela sur le compte d'une chose : les tensions sexuelles. Celles-ci sont omniprésentes, qu'elles soient extériorisées ou bien cachées. Donc, Simone et Luc : amis ? Mon père n'achète tout simplement pas.

« Ce n'est qu'une question de temps, les pulsions. C'est comme être devant une grosse barre de chocolat ou un sac de chips. Tôt ou tard, on oublie de résister, on baisse les défenses. Et là, il n'y a plus de limites. Les pulsions sexuelles. Elles ne pardonnent jamais. »

Ce que dit mon père est peut-être possible. Mais je ne suis pas sûr qu'il ait raison. Peu importe la réponse, il se trompe sur toute la ligne me concernant. Mes tensions sexuelles ne sont pas avec les filles, mais bel et bien avec les garçons !

---

10. Lourds.

J'arrive en soufflant devant Simone qui m'attend, son chapeau rouge qui lui cache les yeux. Elle est appuyée nonchalamment sur le mur de brique près de l'entrée du métro. Elle a ses gros écouteurs Beats or et noir sur les oreilles. Je lui donne une petite tape sur l'épaule pour ne pas l'effrayer.

— Hum, tu sens bon ! lance-t-elle.

— Tu me fais rire.

— Qu'est-ce que tu veux dire ?

— Laisse *béton*[11]. Un petit problème de spray… euh, de calcul. Tu n'aurais pas trouvé que je sentais bon plus tôt.

Aussitôt entré dans le métro, je défais mon manteau. J'ai encore chaud après ma petite course. C'est décidé. Je m'inscris pour de la musculation demain !

Simone met ses deux mains sur sa bouche avec horreur. C'est comme si ses yeux allaient sortir de leur orbite et se mettre à rouler sur le plancher du métro. Après une seconde de silence et d'immobilité complets, elle se met finalement à crier.

— Non ! Non !

— Simone, c'est quoi cette galère ?

Simone défait nerveusement son manteau de cuir noir.

Je fixe le t-shirt de Simone. C'est celui de *Keep Calm and call* BATMAN.

— Pourquoi t'as pas mis ton pull en cachemire comme on avait dit, Luc ?

---

11. Laisse tomber.

– Je, j'ai, j'ai eu un accident. Je n'ai pas pu le mettre. J'ai voulu te faire plaisir et mettre l'autre t-shirt qu'on avait acheté ensemble.

Je regarde mon t-shirt. *Keep Calm and call* ROBIN.

– Quelle poisse ! lance Simone. Batman et Robin. Pourquoi pas Dupond et Dupont ou Astérix et Obélix, tant qu'on y est. On ne peut pas avoir l'air plus *teubés*[12] !

– Écoute, Simone, je sais que c'est moche, mais bon. On n'est peut-être pas obligés d'entrer en même temps à la *teuf*[13]. Il suffit de ne pas être vus ensemble trop souvent et puis, et puis......

Je regarde Simone dans les yeux. Je ne sais pas pourquoi, mais je me sens confiant. C'est tout nouveau, mais j'aime ce que je ressens.

– Simone, regarde-moi. On s'en fout ! C'est notre première fête à Londres ! Tiens ! Je sais ! Je vais garder mon manteau fermé toute la soirée, déclaré-je tout en zippant mon manteau fièrement.

Un petit sourire apparaît sur la bouche de Simone.

– Et puis tu vas avoir chaud et tu vas commencer à transpirer. Et là, j'espère que tu as mis beaucoup de déo.

Simone regarde mon manteau et descend la fermeture éclair. Elle fixe mon nouveau t-shirt. Puis, elle regarde le sien. Elle se met à rire.

– C'est du délire ! C'est du délire !

Elle ne peut plus s'arrêter de rire, les mains sur le ventre, le dos courbé. Moi aussi, je m'esclaffe.

---

12. Bêtes.
13. Fête.

Tous les deux avons les larmes aux yeux. Oui, ce sera une belle soirée, cette première *teuf* à Londres, ensemble!

Pour nous assurer de ne pas être les premiers arrivés à la fête, j'avais dit à Simone que j'allais lui faire signe lorsque ma sœur serait partie là-bas.

La fête était chez une amie de Sandrine. Cependant, elle lui avait bien dit qu'il y aurait des élèves du lycée d'âges différents. La maison blanche en rangée à quatre étages, avec deux grandes colonnes à l'entrée, est semblable à de nombreuses résidences typiques de Londres que j'ai pu observer depuis mon arrivée. Un homme d'une cinquantaine d'années, vêtu d'un veston sport bleu marine, d'un jeans et d'un chemisier jaune, nous laisse entrer. Du vestibule, tout est tranquille, désert. Il n'y a aucun bruit de voix, aucune musique.

— Bonjour, je suis le père de Nadia. Est-ce que je peux prendre votre manteau? Il fait bien chaud, ici!

Simone et moi nous regardons en silence tout en enlevant notre manteau.

— Jolis t-shirts, s'exclame l'homme.

— Merci! répond Simone imperturbable.

« Ça fait pas deux minutes que nous sommes arrivés et voilà qu'on a déjà l'air débiles. »

— Je vous conduis à l'ascenseur. La fête a lieu autour de notre nouvelle piscine au sous-sol!

— Je ne pensais pas qu'il pouvait y avoir une piscine ici, m'exclamé-je.

— Il y a trois cent soixante-quatorze piscines privées cachées à Londres. Comme il n'y a pas d'espace dans cette ville, alors on creuse! Voici l'ascenseur. Bonne soirée!

L'ascenseur se referme.

— Ouf! m'exclamé-je. J'ai pensé qu'on était au mauvais endroit. Pire, je commençais à me demander si ma sœur ne s'était pas fichue de moi. Je savais même pas qu'elle s'appelait Nadia son amie. Une amie riche, en tout cas.

L'ascenseur s'ouvre. Une vraie fête! Avec un bar, une piste de danse autour de la piscine qui change de couleur. Tout le reste de la pièce est dans le noir, mis à part de petits faisceaux de lumières un peu partout. Il y a déjà une foule de mecs et de filles qui dansent. C'est justement la musique de MétroNumb qui joue à plein volume. J'ai commencé à écouter les tubes de ce groupe. Je les trouve très bons! Je ne pourrais pas dire la même chose de mon slam. Mais je mets vite cette pensée de côté.

— On va boire un verre! crie Simone.

Elle m'empoigne par le bras et me conduit à travers la salle jusqu'au bar.

— Regarde la liste de mocktails! Un, deux, trois, quatre... Il y en a douze! Tu veux lequel, Luc?

— Euh...

« Je me demande c'est qui ce garçon qui est tout seul là-bas en train de boire. Oh non! Il vient de me regarder. »

— Luc! répète Simone.

— Quoi?

— Qu'est-ce que tu prends?

— Euh... comme lui.

— Comme le gars là-bas?

— Oui, je veux le gars, euh, son cocktail. Je veux boire son cocktail.

Simone commande.

« Je suis aimanté par le garçon. Comment ça se fait que je ne l'aie jamais vu au lycée ? Il n'a pas une tronche qui s'oublie facilement avec son petit nez et ses yeux immenses. Ses cheveux sont courts, mais je crois que s'il les laissait pousser, ils ressembleraient aux miens. C'est sûr que c'est moins compliqué, courts. Il a aussi l'air plus sportif que moi. Ses épaules, ses bras. »

— Luc ! s'exclame Simone.

— Quoi ?

Je n'ai toujours pas détaché mes yeux du garçon.

— Luc ! crie Simone.

Je sursaute.

— Quoi ?

— Tiens ! Ton mocktail !

On se met à boire.

— Eh ben dis donc, si c'est pas un coup de foudre. Je t'ai jamais vu comme ça.

Simone se met à chuchoter.

— Luc.

— Quoi ?

— Il te regarde. Le mec, il est en train de te regarder.

— Encore ! Tu penses qu'il est vraiment intéressé ? Comment est-ce qu'il a fait pour savoir que je suis gay ? Je voulais pas rencontrer quelqu'un ce soir. Je suis pas prêt du tout. Qu'est-ce que je fais ? Peut-être qu'il est même pas gay ? Oh, Simone, je sais pas quoi faire. Je suis jamais sorti ni avec un mec, ni avec une *meuf*[14], ni avec personne !

---

14. Jeune fille.

– Calme-toi. T'oublies que j'ai un peu d'expérience. Je vais te dire quoi faire. Relaxe. Premièrement, tu vas…

– Simone! Simone!

Luc pointe du doigt en direction du garçon.

– Je pense qu'il vient ici.

– Luc. Respire. Tout va bien se passer. Au fait, t'as même pas besoin de mes recommandations. T'as juste à être toi-même. Je me tire. Si t'as vraiment besoin d'aide, euh, agite les bras.

Simone déguerpit alors que le garçon arrive près de moi. Il est plus grand que moi. Il est aussi plus vieux que moi. Je ne pensais pas qu'il était aussi vieux. Il a au moins dix-huit, peut-être même dix-neuf ans! Le garçon se place à côté de moi, puis lève son verre en ma direction. Je lève aussi mon verre. Nous trinquons.

– C'est vachement bon, ce cocktail. Ça change de la bière. Moi, c'est Adrien. Et toi?

– Moi, c'est Luc. Est-ce que tu vas au lycée? Je ne me souviens pas de toi.

– Ouais. Moi je me souviens de t'avoir déjà vu.

« Oh, mon Dieu, il m'a déjà remarqué. Est-ce que je lui plais déjà? Il faut au moins que je lui montre que je suis un peu intéressé. »

Adrien poursuit.

– Tes cheveux bouclés. T'as….

– Mais toi aussi tu dois avoir des cheveux comme les miens, si tu ne les coupais pas aussi court. Ça fait longtemps que tu es à Londres? Moi, ça ne…

– Je sais, tu es arrivé en septembre. Moi, ça fait un peu plus de trois ans. Avant, nous habitions la Suisse et avant ça, la Belgique. Ma famille a beaucoup voyagé.

« Mon Dieu, il connaît des choses sur moi. Et sa famille est comme la mienne, à déménager *non-stop*. »

Adrien continue.

– Toi aussi, t'as habité dans ces pays, je crois.

« Mais il s'est renseigné ! »

– Comment est-ce que tu sais tout ça ?

– Comme j'essayais de te le dire, c'est à cause de tes cheveux. À part toi, il n'y a qu'une seule personne dans toute l'école qui a des cheveux pareils, mis à part la couleur. C'est Sandrine, ta sœur.

« Il connaît ma sœur ! Mais qu'est-ce qu'elle vient faire là-dedans ? »

– Écoute, je tenais absolument à te parler. Je suis tombé amoureux fou de ta sœur dès que je l'ai vue en septembre. Elle est dans plusieurs de mes cours. Elle m'a dit qu'elle avait un frère. Alors aussitôt que je t'ai vu au lycée, j'ai su que c'était toi. Tu crois que tu pourrais m'aider ? Je….

– Tu n'es pas gay ?

« MERDE ! »

J'enchaîne aussitôt :

– T'aimes les filles ? Je veux dire, t'es amoureux de ma sœur ?

– Oui. Je ne sais pas trop quoi faire… Est-ce que tu viens de me demander si j'étais gay ? Jamais de la vie. Pourquoi me demander ça ?

Je lève les bras dans les airs.

– Je, je ne sais pas.

« Je n'aime pas la façon dont il me regarde. Quelle gaffe ! »

– Est-ce que toi, tu…

Fort heureusement, Simone apparaît.

– Salut, moi, c'est Simone. Je suis une amie de Luc.

Elle dévisage Adrien.

– Juste une amie. Je ne suis pas sa copine. C'est quoi ton nom?

Oh non! Elle a pris son petit air de séductrice.

Je donne un grand coup sec dans le dos de Simone. Elle parle aussitôt.

– Mais je dois absolument y aller. Avec Luc. Allez, Luc, on s'arrache.

Nous nous élançons dans l'ascenseur.

– Je suis con! Comme je suis con! Mais ce que je peux être con! Comme si le premier gars que je vois et qui me regarde allait être gay et, surtout, intéressé par moi.

CHAPITRE 28

Ares

Je me lève après avoir pressé sur le bouton de mon portable à trois reprises. En réglant le réveil trente minutes plus tôt, j'ai l'impression de pouvoir dormir plus longtemps.

Puis, c'est le rituel matinal qui débute. Depuis sept jours, je m'installe sur le matelas de yoga bleu de ma mère que je laisse déroulé en permanence près de mon lit pour exécuter trente pompes et trente abdos. Je me relève, empoigne mes poids et c'est reparti pour une série de cinquante flexions des biceps et des triceps. Quelques étirements et me voilà prêt pour ma course. Ça ne me dit pas trop, et ces derniers matins ont été plus froids qu'à l'habitude. Mais aussitôt parti, je me sens bien. J'adore courir dans Hyde Park. Dans ce grand espace, parmi tous ces arbres d'un vert brillant, je respire. Je me sens vivant.

En sueur, j'entre dans ma nouvelle douche. Celle-ci envoie des jets puissants qui me tombent droit sur la tête. Ça me rappelle les grosses pluies du Cameroun.

Au loin, je voyais venir vers moi les gouttes qui formaient un gros nuage gris qui se déplaçait à toute allure. J'avais vite appris à aller me mettre à l'abri. Laisser passer l'orage. En moins de dix minutes, je pouvais reprendre ma marche. Quelle fraîcheur !

* *
*

Je m'installe à ma place pour le cours de français. Simone n'est pas encore arrivée. En m'asseyant, je vois un petit bout de papier jaune collé sur le siège de ma chaise. Un post-it. Il y est écrit Luc. Je le prends discrètement tout en m'asseyant. Je retourne le papier.

> *Tu sais ce qu'est un anacyclique ?*
> *Tu le sais sûrement...*
>
> *Ares*

Je cache le message et regarde autour de moi. Je ne sais pas du tout qui m'a envoyé ce message. Ça doit être une erreur... Il y a d'autres Luc à l'école. Je ne sais pas pourquoi, mais je n'aime pas ça. Un anana, non un anacyclique. Je suis supposé savoir ce que c'est ? Je fourre le papier dans mon sac. Simone arrive.

* *
*

De retour à la maison, je ferme la porte de ma chambre. Je retrouve le petit papier. Le message a été signé par Ares. Ares. Je regarde en direction de ma bibliothèque. *L'Iliade* d'Homère. Je me souviens combien j'ai eu de la difficulté à lire les premières pages. Mais après avoir réussi à mettre en place tous les dieux, j'avais dévoré le bouquin jusqu'à la fin. Depuis ce temps, j'adore la mythologie grecque, les tragédies. Ares, le Dieu des armes, le Dieu de la guerre. Je cherche ce qu'est un anacyclique sur Internet qui me présente des exemples.

> *Exemples d'un anacyclique :*
> - *super et repus*
> - *amuser et résuma*
> - *épater et retapé*
> - *port salut et tu l'as trop*
> - *l'ami naturel et le rut animal*

Je ne comprends pas.....

Le lendemain, le même scénario se produit. « Oh non ! Un autre message ! »

> *Luc, je t'envoie mon anacyclique favori demain.*
>
> *Ares*

J'arrête de respirer. Je fixe le message.

« Oh non ! Même si je le savais déjà, ce n'est pas une erreur. Qui m'envoie ça ? Je dois attendre jusqu'à demain. »

Je ne reçois aucune nouvelle d'Ares pendant deux journées, longues, interminables. Je sursaute pour des riens. Je réponds sèchement à mes parents. Simone. Je sais qu'elle me trouve moins bavard que d'habitude. Je n'ai pas envie de lui en parler, ni à personne. Je ne suis pas lâche. C'est moi qui vais régler cette situation.

Le troisième matin, je me réveille en sursaut. La journée commence par mon cours de français. Je sens mon cœur battre à fond de train, comme lorsque j'avais failli marcher sur un serpent venimeux qui s'était faufilé entre mes jambes dans le jardin de l'ambassade à Yaoundé.

Je fais mes exercices comme à l'habitude, mais je n'ai pas le courage de courir. J'entre dans la douche. Ni le volume de l'eau, ni le shampoing piquant à la menthe, ni le savon au lotus ne parviennent à faire disparaître mon sentiment de malaise qui perturbe mon moment de relaxation.

Je sens le reste des gouttes d'eau de ma douche s'entremêler à celles de ma sueur. Je m'essuie du mieux que je peux et m'habille. Devant le miroir, je passe la main dans mes cheveux dix fois plutôt que quatre.

* *
*

Je m'empresse d'entrer dans la classe. Je ne veux pas que Simone mette la main sur le petit papier, s'il y en a un.

Je l'aperçois aussitôt et cours m'asseoir. Les mains tremblantes, je lis.

Maintenant que tu sais ce qu'est un anacyclique, voici mon préféré : LUC ET CUL

« Luc. Cul. Mais c'est un malade ! »

Je sens tout mon corps maintenant qui tremble.

« J'ai peur. Cul. Luc. »

– Salut, Luc, interpelle Simone.

– Ah ! Tu m'as fait peur.

– Ça va ? Tu es pâle comme un mort.

– Je pense que je vais être malade.

À la pause de midi, un ballon de couleur beige clair est attaché par une ficelle à l'une des tables de la cafétéria. Une foule d'élèves est attroupée autour du ballon. Je m'approche. Le ballon tourne sur lui-même. Je sursaute. Il représente une paire de fesses sur laquelle il est écrit LUC CUL.

Simone a cours de bio en ce moment. Heureusement. Je sais que presque personne ne me connaît dans l'école, mais j'ai l'impression tout de même que tout le monde me dévisage. Je m'éloigne en marchant, puis aussitôt que je suis sorti de la cafétéria, je me mets à courir jusqu'à l'extérieur du bâtiment.

Appuyé contre un mur, essoufflé, je m'imagine entrer dans ce mur et disparaître. Pour être seul. Plus personne pour me menacer. Je décide de quitter l'école. Je peux enfin respirer. Lentement, mes pas me guident en direction de la maison.

> **SIMONE**
> Luc, où es-tu? On a cours de math. Tu m'as dit que tu te sentais mieux.
>
> 13:00

« Simone, si tu savais. Mais toi ça ne t'arriverait pas. T'es forte. Tu saurais te défendre. »

Je rentre à l'heure habituelle. Je n'ai pas besoin de déverrouiller la porte. C'est ma mère qui m'ouvre.

— Luc, l'école a appelé. Tu étais absent durant l'après-midi.

— C'est une erreur. J'étais là. Tu n'as qu'à demander à Simone, réponds-je, d'un ton sec.

Je me dirige d'un pas décidé dans l'escalier qui me mène à ma chambre. J'entends ma mère s'indigner et m'ordonner de revenir la voir. Je continue et ne me retourne pas. Je ferme la porte. Je sais que, comme à son habitude, ma mère va me laisser seul. Elle déteste les conflits, tout comme moi. Au dîner avec ma famille, je mentionne brièvement que ma journée a bien été. Aussitôt que je peux, je quitte la table.

* *
*

Les trois journées qui suivent l'évènement du ballon se déroulent exactement de la même manière. J'arrive à l'école, alors que la cloche est déjà en train de sonner. Avec une peur qui s'est incrustée dans mon ventre, je me déplace d'une salle de cours à une autre, à la cafétéria, aux toilettes, dans les corridors, craignant un autre ballon, une autre mauvaise surprise ou pire. Le dernier cours terminé, je reviens à la maison aussitôt. Je vois Simone de moins en moins. C'est ce que je veux. Simone. Elle m'a finalement demandé aujourd'hui ce qui n'allait pas. Je sais qu'elle ne m'a pas cru quand je lui ai dit qu'il n'y avait rien. Elle pense que c'est de sa faute. Qu'on a peut-être passé trop de temps ensemble ! Que je m'ennuie avec elle.

Tant mieux si c'est ce qu'elle s'imagine. Je ne sais plus quelle excuse lui donner pour rentrer chez moi et être enfin seul dans ma chambre, sans avoir à ne rendre de compte à personne.

Ça fait maintenant six jours que ma vie est un enfer. Je passe mes soirées entières à regarder des sites sur internet pour me changer les idées, pour oublier. Mes devoirs sont le dernier de mes soucis. Le résultat de mon dernier contrôle de math est mauvais, mais mes parents ne sont pas encore au courant. Et puis, je m'en fiche. Tout ce que je veux, c'est dormir. Mais ça me prend une éternité pour y arriver. Allongé sur le dos, je n'arrête pas de penser à Ares. Qui est Ares ? Et surtout, ce sera quoi sa prochaine connerie ? Mes parents n'arrêtent pas de me dire que je fais la tête. Ils refusent toutes mes excuses pour ne pas aller à l'école. J'ai peur. Je ne sais pas quoi faire.

Cela fait maintenant sept jours que je n'ai pas eu de nouvelles d'Ares. Treize jours depuis la toute première fois qu'Ares m'a envoyé son premier message. Une boule, très dure, est en permanence dans mon ventre. Je peine parfois à respirer normalement. Invivable.

La semaine suivante, le lundi matin, jour quatorze (« deux semaines ! »), pendant la pause, je vais aux toilettes. Pendant que je suis dans l'une des cabinets, j'entends un autre élève qui entre.

Toc, toc, toc.

En entendant ce qui me semble être trois coups de bâtons sur une surface métallique, je fige.

Toc, toc, toc.

C'est alors que je perçois des sons qui se joignent au rythme des coups.

L u c
C u l
L u c
C u l

– Ouvre la porte, Luc.

Le ton est autoritaire. Je suis terrifié.

– Ouvre la porte. Sinon, c'est moi qui m'en charge.

J'entrebâille la porte. ADRIEN !

Celui-ci s'avance, bâton en main. Il recommence à donner des coups au même rythme, mais cette fois-ci, dans sa main. Son visage est un mélange de haine et d'amusement. Il ne parle pas. Il est tout près de moi. Il place le bâton sous mon menton et me regarde.

– À la prochaine, Luc Cul.

Adrien lève la main dans les airs. Il laisse tomber un morceau de papier qui virevolte avant de se poser devant moi.

À ce moment, Adrien sort des toilettes en déclarant :

– Allez, les gars, on s'en va. C'est assez pour notre ami aujourd'hui.

Je reste immobile, puis mes mains se mettent à trembler. Elles s'agitent dans tous les sens. J'ai de la difficulté à prendre la petite feuille de papier. Mes jambes sont si lourdes. Je me déplace péniblement jusqu'à l'intérieur d'un cabinet de toilette, verrouille la porte et m'affaisse sur le sol. Je me cache la tête dans les bras et replie les genoux. Pendant un moment interminable, je suis en état de terreur. Je ne pense pas, ne bouge pas. C'est à peine si je respire. J'ai peur. Adrien, sa bande, le bâton. Je me replie davantage sur moi-même.

Je suis si recroquevillé que ma tête est presque complètement engloutie entre mes genoux.

Au bout d'un moment, toujours personne. Alors, c'est comme si mon cerveau se mettait à dégeler. Je pensais qu'il allait me battre avec son bâton. Il m'a seulement fait des menaces. Peut-être est-ce pour la prochaine fois ? Je ne peux plus continuer comme ça. C'est trop. Je veux aller dans ma chambre et y rester pour toujours.

C'est alors que je me souviens du petit papier.

Tu es gay. Tu ne seras jamais un vrai homme.
Tu ne seras jamais un bon père. Je te hais.

Ares

Pourquoi est-ce qu'il m'écrit des choses comme ça ? Je sais que j'aurais dû essayer de me défendre, de lui montrer... de lui montrer. J'ai rien à lui montrer. Je suis juste un lâche, un gay lâche. Je ne pourrai plus jamais regarder les autres élèves en face, surtout Simone. Elle va être déçue. Je n'ai rien fait. Je n'ai même pas essayé une fois de me défendre.

Quelqu'un entre dans les toilettes. Je sur-saute, tous mes muscles se contractent en même temps. Je resserre mes genoux que j'avais un peu relâchés.

« Non ! Pas encore ! »

J'entends un homme qui se met à chanter avec joie et ardeur comme lorsque quelqu'un prend sa douche et qu'il croit que personne ne l'écoute. Je reconnais la chanson *Les Champs-Élysées* de Joe Dassin.

« Ouuuf, le concierge ! »

Je ferme les yeux et expire longuement par le nez. Puis, je me rends compte que je n'ai pas regardé l'heure depuis ma rencontre terrifiante. Mon portable indique 18:30. Je sors de ma cachette. Le concierge m'aperçoit.

– Tu comptais passer la nuit ici ? Ça fait longtemps que tout le monde a quitté l'école, mon gars.

Je sors de l'école et vérifie qu'il n'y a personne. Je me mets à courir le plus vite possible pour traverser la place centrale, puis me rendre dans la rue. Entouré de piétons, je me sens soulagé.

CHAPITRE 29

Le petit cœur rouge en verre

À la maison, mon arrivée tardive passe inaperçue. Après le dîner, je cherche à me perdre sur Internet comme à mon habitude. Mais l'image d'Adrien qui me menace avec son bâton m'obsède.

Trois coups retentissent à ma porte. Je me mets aussitôt à trembler. J'ai peur. Pourtant, je sais que je suis dans ma chambre.

– Luc, ouvre-moi.

Ah! c'est seulement Sandrine. Qu'est-ce qu'elle me veut? Je n'ai absolument pas envie de lui parler.

– Non, je ne me sens pas bien.

Sandrine ouvre la porte.

– Luc, ça fait des jours qu'après l'école tu restes enfermé dans ta chambre. Plus personne ne te voit. Même Simone hier m'a demandé si je savais quelque chose. Elle pense que tu lui en veux.

– Mêle-toi de tes affaires, Sandrine. Arrête de jouer à la grande sœur. Je vais bien.

– Non, Luc, regarde-toi. Tu es tellement pâle. Je sais que tu aimes être tout seul. Mais il y a des limites. Tu es TOUT le temps seul. Qu'est-ce qu'il y a ? T'as un problème de harcèlement ?

J'allais lui répéter encore une fois de se mêler de ses affaires, mais au lieu de ça, je reste sans voix. Je fixe ma sœur dans les yeux une fraction de seconde, puis vite dirige mon regard vers le plancher.

— Pourquoi tu dis ça ?

— Parce que c'est exactement de cette façon que je me comportais lorsque j'ai eu des problèmes avec la bande à Sara.

— Mais, tu me l'as jamais dit !

— Tu crois que j'allais m'en vanter ?

Au fur et à mesure que je raconte à ma sœur la scène au bar pendant la fête (en omettant de mentionner ma réaction lorsque j'ai découvert qu'Adrien n'était pas gay), Sandrine devient de plus en plus rouge.

— Adrien ! C'est l'être le plus ridicule que j'aie rencontré de toute ma vie ! Je ne peux pas croire qu'il ait voulu t'impliquer dans son manège. Je lui ai dit trois fois que je n'étais absolument pas intéressée ! C'est pas possible ! Et puis après ? Que s'est-il passé ?

— Le lundi suivant, il a commencé à m'emmerder.

— Qu'est-ce qu'il t'a fait, ce con ?

— T'inquiète, il ne m'a pas touché. Juste dit des choses, des choses… Ça dure depuis quelque temps. Oh, laisse tomber !

À nouveau, j'ai les yeux rivés au sol. Je sens le regard de Sandrine sur moi.

— Tu dois me trouver trouillard.

— Non, Luc, au contraire, ça demande beaucoup de courage d'en parler. Maintenant, il faut que tu règles ça avec le conseiller principal d'éducation. Tu n'as pas le choix.

– Sandrine, c'est plus compliqué que tu penses.

Un petit bip bip retentit. Sandrine jette un coup d'œil à son portable. Je me lève de ma chaise et m'en vais regarder à la fenêtre. J'ai pas envie de lui dire que je suis gay. Pas tout de suite. Elle va avoir du mal à digérer ça.

– Bon, Luc, j'comprends pas ce qui t'empêche de vouloir régler ça.

Je détecte de l'irritation dans la voix de ma sœur. Je me tourne vers elle.

– Sandrine, tu sais pas tout.

Sandrine crie presque.

– Qu'est-ce qu'il t'a fait, cet imbécile ?

– Non, c'est pas ça.

– C'est sa bande ? Adrien n'est même pas capable de faire ça tout seul ? Je te le promets, le CPE va convoquer tout le monde. Je la connais, moi, la bande de cons à Adrien. Des sans-génies qui se pensent meilleurs que tout le monde !

– Non, Sandrine, c'est autre chose.

« Je sais qu'elle veut m'aider. J'aimerais tellement que tout soit comme avant. Quand je ne savais pas que j'étais gay. »

– Luc. J'te suis pas du tout. Dis-moi ce qui s'est passé et j'en parlerai aux parents. On peut aller voir le CPE tous ensemble si tu veux. Je ne peux plus te voir comme ça. Il faut arrêter Adrien.

– Je ne peux pas. Je ne veux pas. Je ne peux plus…

Debout devant Sandrine, je me mets à pleurer sans bruit. Je sens les larmes couler sur mes joues, formant de longs sillons. Les yeux de Sandrine s'adoucissent. Je m'y accroche. « Je suis gay, Sandrine. Je suis gay.» Mes épaules sont secouées, alors que mes pleurs deviennent de plus en plus bruyants. Sandrine m'attire vers elle. Elle place ma tête sur son épaule même si je suis plus grand qu'elle maintenant.

— Ça va aller, Luc.

Après un moment, je soulève ma tête et chuchote à l'oreille de ma sœur.

— Sandrine, je suis gay.

Sandrine ne fait pas un geste.

«Peut-être qu'elle ne m'a pas entendu? Tant mieux.»

Sandrine m'abandonne et sort de la chambre. Je reste planté là. Un bruit d'ambulance fait un crescendo. Une lumière bleutée passe en vitesse devant ma fenêtre. Le bruit s'évapore. Je me sens si seul.

«Elle doit être tellement déçue d'avoir un frère gay.»

Sandrine revient, la respiration un peu courte. Elle prend ma main et l'ouvre. Elle y dépose un tout petit objet un peu froid, puis referme ma main.

J'approche mon poing de mon visage et déplie mes doigts. Je reconnais tout de suite le petit cœur rouge en verre. Toute jeune, Sandrine le gardait précieusement dans son petit coffre à bijoux rose qui jouait la musique *La vie en rose* quand elle l'ouvrait. À quelques reprises lorsque j'étais enfant, alors que je m'étais senti perdu, lors de déménagements entre autres, Sandrine m'avait prêté son petit cœur pour que je sache qu'elle était avec moi, que je n'étais pas seul. Et à chaque fois, quand tout allait bien à nouveau, je le lui rendais. Il y a des années que Sandrine ne m'a pas prêté son petit cœur.

« Elle me laissera jamais tomber. »

– Merci, Sandrine.

– T'es mon frère. T'inquiète. Ça va aller.

6:00

Le lendemain matin, avant même que mes parents soient debout, je m'active dans ma chambre. Je commence par manger un petit piment jalapeno rouge, bien caché sous les édredons. Des larmes jaillissent de mes yeux. J'ai si chaud. De son côté, Sandrine passe le thermomètre sous l'eau chaude pendant un long moment.

6:30

Sandrine applique un peu d'eau tiède sur mon visage, mes cheveux et mon oreiller et insère le thermomètre dans ma bouche. Puis, utilisant ses talents innés de comédienne, elle appelle à grands cris notre mère qui accourt dans la chambre. Il n'y a aucun doute, j'ai beaucoup de fièvre. Je ne peux absolument pas retourner à l'école pendant au moins quarante-huit heures, une fois que la fièvre aura disparu, l'école est formelle là-dessus !

Je me sens en relative sécurité dans ma chambre. Mais je suis très, très anxieux. Après l'avoir annoncé à ma sœur, je dois maintenant apprendre à mes parents que je suis gay. C'est incontournable si je veux obtenir le soutien du CPE et ne plus avoir à faire à Adrien et sa bande. J'ai affirmé à ma sœur que je voulais le dire à nos parents moi-même. Je sens que je dois le faire, pour moi, pour mes parents. Ma sœur et moi avons réussi à gagner du temps pour que je puisse me préparer. Je devrai passer à l'action bientôt.

15:30

Trois coups à la porte.

– Qui est là ? Entrez.

Simone entre dans la chambre.

– Salut, Luc ! Sandrine m'a dit que tu étais malade ?

Elle me fait un gros clin d'œil et referme la porte.

Simone a adopté un ton désinvolte. Pourtant elle n'arrête pas de rentrer et de sortir les mains des poches de son manteau. Elle poursuit avec un peu moins d'entrain.

– Pourquoi est-ce que je n'ai pas eu de nouvelles de toi depuis quelques jours ? J'comprends pas. On dirait que t'es même pas content de me voir.

Je suis incapable de croiser le regard de Simone et je ne sais pas quoi dire.

Simone enfonce son chapeau rouge sur ses yeux qui s'embuent, se détourne de moi tout en me disant :

– Je croyais qu'on était des amis, mais je vois que c'est pas le cas...

Je n'ai jamais entendu la voix de Simone comme ça. Elle est cassée. Rien de son ton joyeux habituel.

« Je veux pas lui faire de peine. »

– Simone, j'suis content de te voir, mais j'ai vraiment honte. J'ai peur que tu me voies plus de la même façon si je te raconte ce qui m'est arrivé. Que tu me trouves lâche, que tu penses que je suis le genre de personne qui s'attire des problèmes comme ça et, surtout, qui fait rien pour les arrêter. Je sais que ça t'arriverait pas à toi. Et que, si c'était le cas, tu t'en sortirais vite.

Pendant que je lui parle, Simone se retourne, les yeux humides.

– Luc, essaie de me faire confiance. J'ai toujours pensé que tu étais un super mec. Pourquoi est-ce que je changerais d'opinion aussi vite ? Comment est-ce qu'on peut être de vrais amis si on se parle pas ?

Simone enlève son manteau et son chapeau, les lance par terre dans un coin et saute au pied de mon lit. Elle appuie sa tête dans ses mains et sourit.

– Raconte-moi. J'ai tout mon temps.

Retrouver la gaieté de mon amie m'apporte un peu de paix, paix que je n'ai pas ressentie depuis un long moment. Je raconte tout ce qui m'est arrivé dans les moindres détails. Notre complicité m'a manqué terriblement. Simone est étonnée, puis très fâchée, et enfin peinée de ce que j'ai dû endurer sans elle. Elle me répète plusieurs fois combien j'ai eu du courage d'être passé à travers tout ça.

– Il faut que je trouve une façon de dire à mes parents que je suis gay. Je serai pas capable de faire ça.

– Luc, c'est vrai que c'est pas évident. Mais tu seras pas le premier à être passé par là. Tu peux le faire.

– Tu veux rester avec moi pour faire un peu de devoirs ? J'ai pris trop de retard.

– Cool !

Je regarde Simone lire. Même si tout est loin d'être réglé, je sens pour la première fois que je vais peut-être m'en sortir. Je ne sais pas du tout comment, mais bon. Mes devoirs. C'est à peine si ça m'avait effleuré l'esprit ces dernières semaines. J'ai donc mon rapport de laboratoire de chimie, mon affiche en géo, mon test de math. C'est beaucoup. Et puis, il y a mon slam.

« Je suis certaine que tu arriveras à trouver un thème, une cause qui te touche vraiment, sur laquelle tu as des choses à dire. »

J'ai des choses à dire. Je prends mon petit calepin bleu foncé et un crayon. J'écris et écris. Des bribes de phrases, des mots, ce que je ressens. Je laisse tout sortir.

Au bout d'un moment, je m'arrête pour dire au revoir à Simone qui me quitte en me promettant de revenir le lendemain.

Je m'installe à mon bureau et ouvre mon ordinateur. Je tape sur les touches du clavier jusqu'à très tard dans la nuit sans que moi-même ou ma mère nous en rendions compte. Contrairement à mon premier slam, ça coule tout seul. Comme une rivière qui ne peut pas s'arrêter.

« Ouf ! Je sais que ça marche ! J'ai un bon rythme, des rimes. Mais est-ce que je veux vraiment montrer ça à la prof ? »

CHAPITRE 30

L'annonce

Je n'ai presque pas dormi de la nuit. La veille en me couchant, j'avais trouvé comment m'y prendre pour annoncer mon homosexualité à mes parents. C'est aujourd'hui que je passe à l'action. C'est décidé. Pourtant, cela ne m'empêche pas d'avoir très peur.

Des pensées négatives tournent en boucle dans ma tête.

« Je ne m'en sortirai jamais. Je ne peux pas m'en sortir sans mes parents. Je ne serai jamais capable de leur dire que je suis gay. Tout me tombe dessus en même temps. »

Mais je réalise aussi, quand j'y pense, que je ne suis pas seul. J'ai ma sœur et Simone qui comptent sur moi, qui croient en moi. Je dois le faire. Je veux m'en sortir. Ça va être difficile, mais je vais leur parler.

Tout de suite en sortant de mon lit, j'envoie mon slam à ma professeure de français. Je m'habille et vais voir mes parents.

Simone m'a texté six fois déjà pour m'encourager depuis que je suis réveillé. Sandrine, que je rencontre sur mon passage, me suggère encore une fois de m'aider, mais je refuse. Je veux le faire seul.

Mon père doit quitter la maison rapidement, car il a une réunion importante. Mais j'insiste. Je demande à mes parents de s'asseoir tous les deux au salon pour quelques minutes.

Lorsqu'ils sont tous les deux côte à côte sur le canapé-sofa crème, je leur tends une feuille. C'est mon slam que j'ai écrit hier soir.

Le regard que mes parents me lancent après l'avoir lu est pire que ce que j'avais imaginé. Un mélange de stupéfaction, de peur et d'un peu de dédain.

C'est ma mère qui sort de sa torpeur la première.

— Oh! Je ne m'attendais pas à ça du tout. Pourquoi? Qu'est-ce qu'on t'a fait?

Mon père enchaîne sur un ton qu'il essaie d'être moins alarmiste.

— Luc, tu en es sûr?

— Oui, je suis sûr. Et vous n'avez rien à voir là-dedans. Je suis comme ça, c'est tout.

Je sens mon cœur qui se débat entre la colère et la tristesse. Mais je ne veux pas fléchir. Sans réfléchir plus longtemps, je poursuis.

— J'ai autre chose à vous annoncer.

Je prends une grande respiration.

Sans afficher aucune émotion, je leur raconte mon harcèlement, Adrien, en n'omettant aucun fait important.

Ma mère se met à pleurer.

— Je suis désolée que tu aies eu à passer par là.

— Luc, j'imagine que lorsqu'on rencontrera le CPE, on n'aura pas d'autre choix que de lui dire.

– Qu'est-ce que tu veux dire ?... Que je suis gay ?

– Peut-être que ce n'est pas nécessaire que l'école sache cela. Peut-être que tu vas changer d'avis.

Je suis abasourdi, sous le choc de l'attitude de mon père.

– Papa, on n'est pas obligés de dire à toute l'école que je suis gay, mais tu sais très bien qu'il va falloir le dire au CPE, sinon il ne pourra rien faire et, si c'est ça, je ne retournerai plus dans cette école. Et toi, l'ambassadeur de France, tu préférerais que les gens apprennent que je ne fréquente plus le Lycée français ?

En fin d'après-midi, mes parents et moi rencontrons le CPE. Mon père agit de façon tout à fait diplomatique. Il simule une grande complicité entre lui et moi. Une façade, comme toujours. À la demande de mes parents, tout est fait dans la plus grande discrétion. Le CPE rencontre rapidement Adrien et sa bande. Adrien est suspendu de l'établissement pour deux semaines à effet immédiat après l'entrevue, avec interdiction formelle d'entrer en contact direct avec moi, sinon, c'est l'expulsion définitive. Quant aux membres de sa bande, ils écopent de deux jours de suspension avec chacun la même interdiction.

Je passe beaucoup de temps avec Simone. Comme avant ou presque. Lorsqu'Adrien retourne en cours après les deux semaines de suspension, j'ai un peu peur. Je comprends vite qu'Adrien se fait tout petit à l'école. Sandrine me rappelle souvent que c'est Adrien, le lâche dans cette histoire. Je me sens maintenant en sécurité. Mais avec mes parents, c'est une autre histoire.

Je ne pense pas que je pourrai accepter leur attitude. Ils font comme si je ne leur avais jamais dit que j'étais gay. Ils font comme si de rien n'était. Ils sont vraiment nuls. Ça me rend très en colère, mais surtout, triste. Ça me rend fou.

PARIS

MétroNumb

présente

CONCOURS INTERNATIONAL FRANCOPHONE DE SLAM

Édition jeunesse

22 décembre, 19:00 au théâtre Trianon, Paris

FINALISTES

Pauline Bouillère : Anvers, Belgique
Emmanuel Cantave (Mano) : New York, États-Unis
Justine Côté-Lapointe : Montréal, Canada
Luc Dubois : Londres, Royaume-Uni
Nada Esmili : Essaouira, Maroc
Benoît Gascon : Paris, France

Le théâtre Trianon est situé au pied de Montmartre, dans le 18e arrondissement de Paris. La scène est immense, avec des faisceaux de lumière de toutes les couleurs. La salle a une capacité d'au moins mille personnes. Pour le moment, il n'y personne sur la scène. Les six finalistes sont dans une petite pièce fermée adjacente à la scène. Le groupe MétroNumb a donné à chacun, à tour de rôle, la chance de répéter seul son slam sur la grande scène. Cela permet aussi aux éclairagistes de préparer des combinaisons de lumières en fonction du slam de chacun.

Justine a décidé d'y aller en premier. Elle tente de communiquer le plus d'émotions possible, de parler fort, avec beaucoup d'expression, comme le lui avait montré son professeur de français, M. Dallard. Elle essaie de se déplacer sur scène pour rendre son slam plus vivant, mais trouve cela difficile. Elle se dit qu'une fois dans sa chambre, en relisant son slam, elle va essayer de jumeler des passages à des endroits sur la scène.

« J'espère que MétroNumb et l'assistance vont aimer ça. J'pensais pas que je me sentirais bien malgré tout sur la scène. J'aimerais trop ça gagner. »

Elle retourne rejoindre les autres participants dans la petite salle. Elle se sent comme si elle venait de courir un demi-marathon. Elle s'assoit et tente de reprendre son souffle, ayant l'impression que tout le monde l'entend respirer. Elle regarde à l'extérieur pour se calmer.

« J'en reviens pas. J'ai réussi ! J'pensais qu'j'allais m'évanouir. C'est une nouvelle vie qui commence pour moi, comme me l'a dit maman avant que je parte. Mais si je gagnais, ce serait encore plus trippant ! Oh non ! Faut absolument que j'avale mes médicaments après la pratique. Avec le décalage horaire, je suis toute mêlée, j'ai complètement oublié de les prendre. »

À côté de Justine se trouve Luc. Pour la première fois depuis bien longtemps, il se sent à sa place. Il ne comprend pas trop pourquoi. Pourtant, ses parents persistent à agir comme s'il ne leur avait jamais dit qu'il était gay. Il a la trouille comme jamais à l'idée de présenter son slam devant tant de monde. Et être ici, avec d'autres jeunes qui connaissent MétroNumb, alors que lui connaît très peu ce groupe, l'intimide. Il regarde Mano se lever et sortir de la salle pour se rendre sur la scène.

« Mano, je le trouve sympathique. Il a l'air sûr de lui. J'aimerais être comme lui. Tout de même, je suis ici. Et ça n'a pas été facile. Heureusement que Simone et ma sœur ont été là. J'ai peur d'oublier des mots ou pire, de ne pas être capable de prononcer une seule parole. Mais quand même, je suis fier de moi. »

En entrant sur la scène, Mano est subjugué. Il croit rêver.

« Slammer avec MétroNumb ! Mon rêve ! »

Les battements de son cœur qui résonnent dans tout son corps le ramènent sur terre.

« J'ai le vertige. Et si je n'étais pas capable de le faire comme lors de la soirée dans la petite salle à New York d'où je m'étais sauvé ? Non, aujourd'hui, c'est différent. Je veux le faire ! J'ai le privilège de dénoncer les injustices et de parler de mon peuple à tellement de gens. C'est ce que j'ai toujours voulu le plus au monde. Je ne vais pas rater cette chance ! »

Mano se dirige en plein milieu de la scène. Pose sa main droite sur son cœur.

« C'est grâce à Kamilah si j'ai commencé à écrire. »

Il fixe le plancher.

« Mais quand elle a décidé que j'allais présenter le slam que je lui avais offert, les choses ont changé. Mon point de vue, mes sentiments n'avaient aucune importance pour elle. C'était décidé. J'allais présenter mon slam. Elle m'a dit qu'elle allait essayer de me pardonner ma fugue, mais je sentais bien qu'elle me considérait désormais comme quelqu'un de faible. Elle a peut-être raison. J'aurais dû m'affirmer davantage avec elle. Lorsqu'on s'est quittés, ç'a été difficile. Mais j'avais plus de temps pour penser, pour me concentrer. Ça m'a aussi libéré. »

Mano remonte la tête et regarde droit devant lui, confiant.

« J'ai enfin pu écrire ce que je voulais vraiment, ce en quoi je crois. C'est un peu comme si je commençais déjà à être journaliste ! »

Mano entend des bruits provenant du coin des éclairages.

« Plus de perte de temps. Je dois commencer. »

Mano s'efforce de parler avec assurance, de montrer qu'il croit en ce qu'il dit.

« Je suis content de ma performance, mais demain, je vais essayer de me promener davantage sur la scène, d'utiliser mes bras, mon corps. Je veux que ce soit dynamique comme prestation. »

Mano revient dans la petite salle.

– Luc, c'est à ton tour.

Luc ne l'a pas entendu. Il est trop occupé à observer la personne à sa droite.

« Ce gars blond, ça doit être Benoît. On a l'air d'avoir le même âge. »

– Luc, tu y vas ?

Mano dépose gentiment sa main sur son épaule.

– Tu m'avais dit que tu voulais y aller après moi.

Luc tourne rapidement son regard vers Mano.

– Oui, j'arrive tout de suite. Excuse-moi.

Luc se lève et se dirige vers la scène. Comme un robot, il présente son slam et ne fait aucune faute. Mais il ne se sent pas à l'aise du tout.

« J'ai peur. Il faut que je parle beaucoup plus fort demain. MétroNumb m'a écrit que c'était très beau ce que j'avais écrit, qu'il avait hâte de m'entendre. J'ai un message puissant à communiquer et c'est pour ça que j'ai été choisi. Je veux y aller avec plus d'assurance demain. »

Après que tous les finalistes ont répété leur slam sur la scène, le duo MétroNumb vient les rejoindre et leur présente une surprise.

– Ce soir, nous aimerions vous amener prendre un verre au Café du Trocadéro sur le bord de la Seine. De là, vous aurez une vue spectaculaire sur la tour Eiffel. Ce sera une soirée magique !

Plus tard durant la soirée, alors que Mano s'est éloigné un peu de la terrasse du café pour mieux voir la tour Eiffel, Justine le rejoint.

— Salut, Mano, moi, c'est Justine.

— Oui, je me souviens très bien de toi, Justine. Tu semblais très décidée lorsque tu es allée pratiquer ton slam. Tu m'as l'air de quelqu'un qui n'a pas peur.

— Merci. Pis toi, t'es super chanceux d'habiter New York ! Moi, c'est mon rêve d'y aller !

Il y a un petit silence. Mano sourit. Justine regarde au loin, puis enchaîne.

— Pour le moment, je suis à Paris et c'était un autre de mes rêves !

— Moi, mon rêve, c'était de slamer avec MétroNumb. Et c'est arrivé ! Je me pince toutes les quinze minutes !

Justine lui serre le bras en riant.

— Aïe ! T'es vraiment forte !

Mano se met à rire lui aussi.

Justine l'observe.

« Ça l'air d'être un gars vraiment gentil. »

Elle a vraiment le goût de parler avec lui.

— C'est la première fois que j'prends l'avion. Ché pas pourquoi j'te dis ça. Toute ma famille était vraiment excitée lorsque j'ai appris que j'avais été sélectionnée ! Ma mère a même pris une journée de congé pour me conduire à l'aéroport. Et j'ai promis à ma p'tite sœur d'lui rapporter une p'tite tour Eiffel. Oh ! Pourrais-tu prendre une photo de moi avec la tour Eiffel ?

Justine place ses cheveux pour mettre en valeur sa mèche bleutée. Elle se tient bien droite avec sa tête penchée un peu sur le côté. Son sourire, ses yeux, tout transpire la joie et la confiance.

Mano se met à son tour à lui parler, tout en cherchant le meilleur angle pour prendre la photo.

– T'es chanceuse d'avoir une sœur. Moi, j'suis enfant unique. C'est la troisième fois que je prends l'avion. Je suis allé deux fois en Haïti pour voir *Grann*.

Justine fronce les sourcils. Mano voit son incompréhension.

– *Grann*, ça veut dire grand-mère en créole. Mais elle est décédée l'an dernier.

– Oh, non !

– Elle aurait été trop fière de moi.

Mano lui redonne son téléphone.

– Tu as un copain ?

– J'en ai eu un pendant très longtemps, presque deux ans. Il m'a laissé. Ç'a été super dur. Pis, y'a voulu reprendre. Lorsque j'ai gagné l'concours, j'ai décidé que j'voulais essayer de passer à autre chose, voir comment ça irait. En plus, ma meilleure amie Lola était très amoureuse de lui depuis un bout, alors c'est bien comme ça. Et toi ?

– Moi non plus, je n'ai plus de copine. C'est drôle parce que c'est à cause du concours de slam si on a commencé à sortir ensemble et si on s'est laissés. Le premier slam que j'avais composé pour le concours était presque uniquement sur mes états amoureux. Ma copine m'a inscrit dans une soirée de slam à New York. Je me suis rendu compte que je n'étais pas à l'aise du tout de parler de choses aussi personnelles. Ce que je voulais vraiment faire, c'était de parler de mon peuple, des injustices.

Derrière Mano et Justine, il y a Luc qui regarde seul la tour Eiffel.

« Pour la première fois, j'me sens comme tout le monde. On est tous différents. Je n'ai jamais été aussi content de prendre l'avion en classe économique, de mettre sur pause la vie protocolaire et mes parents qui veulent sauver les apparences à tout prix. J'ai rassuré mon père sur le fait que le spectacle ne serait pas télévisé. Alors aussi longtemps que tout Paris ne saura pas que je suis gay, ça lui va. Ici, je peux être différent, comme tout le monde. Je suis quand même trop, trop nerveux de faire mon slam demain. Ça aurait été bien si Simone avait pu venir avec moi, ou Robert. Je me demande ce qu'il fait ? Il doit sûrement être assis à l'ombre des palmiers à pratiquer de nouvelles stratégies au songo pour gagner. »

Quelqu'un lui touche le bras légèrement.

– Luc ?

Luc se tourne.

« C'est le gars blond qui était assis à côté de moi tout à l'heure, Benoît. »

– Oui ?

– Je voulais te dire que j'ai beaucoup, beaucoup....

Benoît devient tout rouge.

– Hum, je sais qu'on ne devait pas écouter, mais je t'ai entendu lorsque tu as dit ton slam. Tu es très courageux ! Moi je n'aurais jamais osé le faire. Même si tout le monde autour de moi le sait, je n'aurais jamais pu l'avouer comme tu le fais.

– Ne t'en fais pas, Benoît. Et puis tu sais, moi, ce n'est pas une question de courage. C'était une nécessité. Je savais pas comment annoncer ça à mes parents et il fallait que je le fasse. C'est le slam qui m'a sauvé. Mais j'aurais jamais pensé me retrouver ici. J'ai la trouille comme c'est pas possible pour demain. Mais comme personne ne me connaît, ça me fait vraiment moins peur que si j'avais eu à le dire devant les élèves de mon école.

– Merci, Luc. Je suis vraiment content de te connaître. Je trouve que t'es pas comme tout le monde. Tu me sembles incapable de faire semblant.

* *
*

La grande soirée est enfin arrivée. L'ordre d'apparition des six finalistes a été tiré au sort. C'est Luc qui est le premier.

« Autant en finir au plus vite. Je pourrai au moins profiter de ma soirée. »

Il se tient en retrait dans les coulisses, prêt à entrer. MétroNumb réchauffe la salle. Luc balaie du regard toute la foule assise.

« J'ai tellement peur. Mais en même temps, je suis tellement excité. Jamais je n'aurais pensé faire une chose comme celle-là… Non ! C'est pas possible ! Mes parents sont dans la salle. Ils ne m'ont jamais dit qu'ils viendraient. Ah ! C'est la fin du monde ! »

Luc ferme ses yeux.

« Il faut que je me calme. »

Il se revoit durant sa pratique.

« Tu as été choisi. Ce que tu as à dire est puissant. »

Luc ouvre les yeux et aperçoit Xavier de MétroNumb qui lui dit de se préparer à entrer sur scène.

« Je me sens comme si j'allais sauter dans le vide. »

— Mesdames et Messieurs, tout droit de Londres, notre premier finaliste, Luc Dubois!

Benoît qui a réussi à se rapprocher serre l'épaule de Luc.

— Vas-y, Luc! Ça va aller! Je le sais!

«J'y vais!»

Luc se place en plein milieu de la scène, prend une grande respiration et lève les yeux vers la foule.

Je me perds dans la fiction pour oublier ma réalité
Un poids que j'ai dû et que je devrai toujours traîner
Une honte, une disgrâce, ma vie n'est qu'un vide abyssal
Pourquoi ne suis-je pas comme les autres un jeune ado normal?
Derrière la différence courent sans cesse la haine et le mépris
Moi qui suis différent m'enfuis,
je cours à l'infini
Mais aujourd'hui c'est décidé je m'arrête, je fais volte-face
Plus question de fuir ou de tenter de me fondre dans la masse
Ceci dit, je ne suis pas fier d'être gay
Né comme ça, laissez tomber on ne peut rien y changer
Mais je suis fier de reconnaître, d'accepter, je m'embrasse
Sous du désarroi, du dédain, du dégoût, l'amour
aura toujours sa place.

En prononçant ses dernières paroles, Luc tourne son regard vers ses parents. Ils l'applaudissent avec ardeur comme tous les autres spectateurs dans la salle.

Luc retourne en coulisses, léger comme s'il allait s'envoler. Benoît accourt vers lui.

– Bravo, Luc ! Tu étais vraiment super !

– Merci, Benoît.

Des « Bravo Luc » se font entendre de la part de tous les finalistes. Luc ne s'est jamais senti aussi invincible. Il serait prêt à recommencer tout de suite !

C'est au tour de Pauline d'entrer en scène.

Luc entend alors une voix familière.

– Félicitations, Luc.

Puis, une autre.

– Oui, félicitations, mon fils.

Luc regarde à l'autre bout des coulisses. Ses parents sont là. Il se dirige vers eux.

– Je ne pensais jamais vous voir ici. Papa, tu ne voulais pas…

– Luc, je sais que j'ai voulu étouffer le fait que tu sois gay. J'ai eu peur, peur de ce que les autres penseraient, peur que ta vie soit dure. Ton annonce a été très difficile pour nous. Mais tu es qui tu es. Et c'est à nous d'apprendre à accepter ça. Il faut que tu nous donnes du temps. Ce soir, ta performance, nous sommes fiers de toi.

– Nous t'aimons, Luc.

La mère de Luc essuie quelques larmes. Puis, ses parents retournent dans la salle.

« Qu'est-ce qui se passe aujourd'hui ? Jamais je n'aurais pensé que tout ça puisse arriver ! »

Des applaudissements se font entendre à nouveau. Pauline sort de la scène, le regard illuminé. Tout le monde la félicite avec effusion.

C'est au tour de Nada de présenter son slam. Elle ne semble pas trop nerveuse, s'approchant avec aisance sur la scène.

Pendant ce temps, Justine se prépare. C'est elle tout de suite après. En se regardant dans la glace, elle replace pour la dixième fois sa mèche de cheveux bleue. Elle a décidé de ne pas mettre ses lunettes. Elle porte la chemise turquoise que Lola lui a offerte avant son départ.

« Y faut pas qu'j'oublie d'y acheter un cadeau à elle aussi. A m'a tellement aidée. J'aim'rais ça si elle était à côté d'moi. Elle m'a quand même envoyé au moins quinze textos aujourd'hui. Mais chus tell'ment stressée. »

Justine s'échoue sur le banc derrière elle. Ses jambes sont très, très molles. Elle se prend la tête dans les mains.

— Hé, Justine, qu'est-ce qu'il y a ? s'enquiert Mano.

Justine ne bouge pas.

Mano se met en petit bonhomme devant Justine, lui prend les deux mains pour pouvoir voir son visage. Justine a l'air terrorisée.

— Mano, j'peux pas le faire. J'veux l'faire, mais j'sus comme paralysée. Je n'ai jamais présenté un slam devant autant de personnes.

Mano lui fait un énorme sourire.

— Justine, tu as le trac. Je sais exactement ce que c'est, ça m'est déjà arrivé. Je te promets, une fois sur scène, ça va aller. Tu m'as dit que tu avais fait des concerts de piano. C'est la même chose.

Ne pense pas à tous ces gens, pense à ton slam, je sais que tu as ce qu'il faut pour le faire.

Tout en parlant, Mano a dirigé Justine sur le bord des coulisses.

– Tout droit de Montréal au Québec, accueillez chaleureusement avec moi Justine Côté-Lapointe !

Alors qu'elle se dirige sur la scène, Justine entend Mano qui lui lance :

– Tu vas être spectaculaire ! Vas-y, Justine !

Justine se place un peu au fond de la scène. Elle regarde où elle se dirigera pour sa deuxième partie, un peu plus au milieu, puis tout au-devant pour la fin de son slam, exactement comme elle l'a préparé.

Puis, elle regarde droit devant, sans regarder la foule.

Ode à mon père

Une prisonnière, c'est ce que je suis.

Prisonnière d'une mélodie au nom de maladie.

Elle me séduit, sans relâche, me réjouit et me fâche.

Bercée par le son familier, aux couleurs de l'hérédité, elle m'abîme et me gâche.

Papa, tu es le compositeur de cette partition qui m'est toxique.

Mes sentiments, damnés et esclaves d'un enchantement atavique, sont l'outil d'un mal chronique.

Par cette mélodie, tu as rendu mon monde anarchique et illogique.

Les voies du slam

Les notes, *vibrant en écho dans ma tête, sont à l'origine d'un poétique déséquilibre chimique.*

Des paroles si douces et romantiques pour camoufler un horrible diagnostic.

Papa, le souvenir de ton visage s'estompe sous l'assèchement de mes larmes dissolvantes.

Les moments de tendresse se dissipent dans l'irrégularité de ma mémoire déviante.

J'aurais préféré grandir en entendant ta voix me chanter de douces comptines.

Au lieu, tu m'as transmis tes gênes défectueux. Un beau produit imparfait, Justine.

La solitude et la tristesse ont transpercé l'armure de mon enfance candide.

C'est le cœur plein de larmes et vide de sens que je constate que tu as quitté cette danse par un égoïste suicide.

Tu m'as laissée impuissante danser dans une valse variant entre le noir et le blanc.

Mon cavalier a tiré sa révérence, sans attendre l'anniversaire de mes vingt ans.

Déchirée, incomprise, enchaînée et traîtrise, sont devenues des mots avec lesquels au quotidien je compose.

Les cavités qui fracturent la santé de mon âme sont sans cesse à vif, meurtries et roses.

Je t'assure que ce n'est pas avec joie que je pianote sans silence entre la touche de Paxil et de Lithium.

Je dois rester forte et garder les pieds sur terre, même si parfois j'ai envie de te rejoindre en me gonflant à l'hélium.

Car ma seule envie est de m'envoler haut dans les nuages pour te souffler une dernière fois à l'oreille les mots « Je t'aime ».

Mais cela reste une envie évanouie dans le silence d'un mirage puisque dans mes bras seule l'Absence est souveraine.

Papa, même si je suis engourdie par la maladie, je te dédie cette ode aux notes imparfaites.

Je tente au mieux de m'accepter telle que je suis, en me livrant au monde sous mes mille et une facettes.

Malgré tout, papa, la mélodie que tu m'as écrite est aussi laide que jolie.

Car c'est par la souffrance et les échecs que j'ai appris à sourire à la vie.

Justine regarde toutes les personnes qui l'applaudissent. « Bravo, Justine ! » « Tu es la meilleure ! » Elle n'arrive pas à croire qu'elle ait réussi à parler d'elle, comme ça, devant tant de gens et qu'ils aiment ça !

« Oh, non ! Je suis toujours dans le fond de la scène. J'ai oublié de bouger. »

Elle se tourne et voit Mano qui lui aussi l'applaudit avec gaieté. Elle oublie vite son erreur.

« J'aime son sourire. »

Elle lui renvoie son sourire. Elle se sent rayonnante. Non loin de Mano, derrière, elle aperçoit Benoît qui est tout recroquevillé comme elle, il y a quelques minutes. Luc est à ses côtés. Elle fait un signe d'au revoir au public et se dirige rapidement vers Benoît.

– J'étais exactement comme toi. Tu vas voir, lorsque tu vas être sur scène, ça va bien aller. Tu vas y arriver.

– Vas-y, *man*, tu peux le faire ! On est tous avec toi, s'exclame Mano qui vient lui aussi de se rendre compte de l'état dans lequel est Benoît.

– Benoît, si j'ai pu le faire, tu peux toi aussi, renchérit Luc qui le tient par les deux épaules.

– Et maintenant, notre candidat de chez nous, tout droit de Paris, Mesdames et Messieurs, Benoît Gascon !

Benoît se dirige au milieu de la scène. Il regarde par terre.

Toute l'assistance s'est tue.

Benoît fixe toujours le plancher. Il prononce quelques mots, mais personne n'est capable de l'entendre.

– Benoît, chuchote Mano des coulisses.

Benoît regarde en sa direction.

– Respire.

Mano se tient tout droit et respire en remplissant à fond ses poumons.

Luc pointe son pouce vers le haut et regarde Benoît avec le plus grand sourire qu'il ait jamais fait.

Benoît se tourne vers la foule, souriante, elle aussi. Il prend une grande inspiration et commence son slam.

Mano est soulagé de voir que Benoît semble s'en sortir. Puis tout à coup, il réalise que c'est lui le suivant. Il se met à avoir très chaud. Ses mains tremblent un peu.

« Oh, non ! Je commence à avoir le trac moi aussi. Il faut que je me change les idées. »

Il pense à Roy et à Bruce.

« Leurs derniers textos étaient à mourir de rire. Cela fait presque trois jours déjà que je ne les ai pas vus. »

Puis, il pense à Rodrigo.

« Si je suis ici aujourd'hui, c'est bien à cause de lui, de sa mort. Non, je ne vais pas avoir la trouille comme la dernière fois. Je suis ici pour dénoncer les injustices de mon peuple et c'est ce que je vais faire. »

— Mesdames et messieurs, notre dernier finaliste et non le moindre, tout droit de la ville de New York, Emmanuel Cantave ! Mano !

Tout le monde se met à applaudir. Mano fait son apparition. La foule redouble d'entrain.

Mano se place tout au-devant de la scène, en plein milieu. De cette façon, il est plus près des gens.

« Il ne faut pas que j'oublie de bouger. »

Le silence est complet. Mano regarde quelques instants vers le haut. Il pense à *Grann*, puis à ses parents. Il pose son regard sur l'assistance. Il sait pourquoi il est ici. Pour dénoncer les injustices que subit son peuple. Et tout à coup, il se sent bien, calme, déterminé.

Il veut communiquer son message à travers ses mots, mais aussi à travers son corps, ses mouvements. Il est prêt comme jamais il ne l'a été.

Et si tout ça n'était qu'un rêve ?
Ou plutôt un affreux cauchemar
S'il n'y avait pas ce profond malaise
Quand on affirme son identité noire
Si on n'était pas coincé au pied de la falaise
Battu, arrêté, privé de notre histoire,
À cause d'un ton de peau, d'un accent

Et si nos mères et nos pères n'avaient plus à
s'inquiéter ?
La police devrait être une source de confort
Elle est devenue source de méfiance et de
malhonnêteté
Cela nous apprend à nous tenir droits et à
rester forts
Entre les rats, les ascenseurs en panne et la
pauvreté.

La tempête s'enrage dans ma tête et je ne sais
plus quoi penser
Il faut mettre de l'ordre dans ce cœur meurtri
Chacun a ses plaies à panser
Mais pensez-vous que j'exagère ?
Moi je pense que celle qui exagère c'est la
société
L'esclavage, les lois Jim Crow, n'étaient-ce pas
assez ?
Nous sommes impuissants sur le sol et ils
continuent de frapper et frapper !
Le tourbillon émotionnel tourne et peut-être
que je mélange tout
La mort d'un ami, un amour fruste, et tout cela
d'un seul coup
Cela dit, ne me regardez pas comme si j'étais
fou,
Car ce que je dis, beaucoup le pensent jusqu'au
bout
Je méprise votre système et je refuse de me lais-
ser tomber dans le trou !

Mano se penche vers l'avant, les mains sur les
cuisses, essoufflé comme s'il venait de courir
des kilomètres. Il s'est déplacé d'un côté puis de
l'autre de la scène, essayant d'entrer en contact

avec chacune des personnes dans la salle. Il n'entend que son souffle. Aucun bruit.

« J'ai tout donné. J'espère que j'ai réussi. Chaque phrase, j'ai voulu la dire avec mes mots, avec tout mon corps. Je voulais à tout prix que personne ne ressorte indifférent de mon slam, que mon message passe. »

Mano se relève en saluant la foule. Tout le monde se met à applaudir en criant des « Bravo, Mano ! » « Oui, Mano ! » « Continue, Mano ! »

« Je crois que j'ai réussi. Ils m'ont écouté. »

Mano fait signe aux autres finalistes de venir le rejoindre sur la scène. Tous les six se donnent la main et saluent l'assistance avec joie.

Le duo MétroNumb rejoint les finalistes sur scène. Tous deux les félicitent un à un en leur serrant la main ou en leur faisant des accolades. Peu importe le gagnant, l'atmosphère est à la fête.

— Mesdames et Messieurs, les prestations que nous avons eues ce soir sont vraiment de grande qualité et nous voulons prendre le temps de bien réfléchir avant de prendre une décision. Nous vous revenons donc dans une vingtaine de minutes.

Mathilde et Xavier, les deux membres du groupe, se réunissent dans la même petite salle où étaient réunis les participants la veille. Mathilde commence.

— Je suis vraiment impressionnée par la complexité des slams. Le vocabulaire, les rimes, le rythme, tout y était.

— Ce qui m'a le plus ému, c'est la vérité qui se dégageait de ces slams. Chacun y a vraiment mis du sien. On sent que ça venait d'expériences vécues. Ils sont courageux, ces jeunes.

— Tu as tout à fait raison, Xavier, ces jeunes n'ont pas eu peur de se dévoiler, de montrer qui ils sont et ce en quoi ils croient. C'est vraiment touchant. Quelle relève !

— Allez, au travail, je me demande bien qui sera notre gagnant.

— Décision difficile !

* *

*

Cela fait un peu plus de vingt minutes, et l'excitation dans la salle est à son comble. Tout le monde est impatient de connaître le gagnant. Bien entendu, les finalistes aussi ont hâte de connaître le verdict.

MétroNumb apparaît sur scène pour dévoiler le nom de la gagnante ou du gagnant. Xavier commence.

— Pardon pour le léger retard. Comme vous le comprenez, nous avons eu beaucoup de difficulté à faire notre choix. Nous sommes impressionnés par la profondeur de ces jeunes et leurs habiletés littéraires. Nous avons décidé de décerner le prix à celui qui a su écrire un slam de qualité, mais aussi, avec une portée sociale importante. Lors de sa présentation, son charisme était très grand. Durant les derniers jours, cette personne s'est aussi révélée être très respectueuse des autres, toujours prête à donner un coup de main. Mesdames et Messieurs, nous avons le grand plaisir de remettre le prix du concours international francophone de slam à Emmanuel Cantave, Mano !

Les applaudissements déferlent. Tous les finalistes se lèvent d'un bond, montrant leur joie de voir Mano gagner le concours et leur appréciation pour ce jeune si rassembleur. Celui-ci monte sur l'estrade. Un large sourire, le regard tout ébahi. Il semble surpris d'être sur la scène à nouveau.

Mathilde fait signe à la foule avec sa main de se taire.

– Nous avons eu beaucoup de difficulté à choisir et nous tenions à remettre une mention spéciale à une participante qui nous a beaucoup émus. Son slam était très personnel et étoffé et elle a su nous le faire partager avec sincérité. Nous nommons : Justine Côté-Lapointe !

L'assistance se met à applaudir de plus belle. Mathilde et Xavier font signe à Justine de venir les rejoindre sur la scène.

Justine est si surprise, qu'elle ne bouge pas. Tout le monde se met à clamer :

« Justine ! Justine ! »

Presque étourdie par toute cette attention tournée vers elle, elle s'avance.

– J'en reviens pas ! Ça s'peut pas !

Mano s'avance vers Justine et lui tend la main puis la dirige vers le centre de la scène avec le duo MétroNumb.

MétroNumb entame son plus grand succès, entraînant tout le monde avec lui. Tous se mettent à frapper des mains et des pieds avec vigueur. C'est une soirée mémorable !

* *
*

Le lendemain du concours, le petit déjeuner ter-miné, chacun retourne à sa chambre pour boucler ses valises. Les adieux vont commencer bientôt. Benoît attend que Luc soit parti pour rentrer chez lui en métro. Il habite à seulement dix stations. Luc est le premier à quitter le groupe. Ses parents viennent le chercher en limousine dans quelques minutes.

Benoît et Luc se sont arrêtés sur le trottoir un peu en retrait de l'hôtel.

— Tu viens vraiment à Paris tous les Noëls et tous les étés ? Tu en as de la chance de voyager autant. Je suis toujours ici à Paris, sauf pour quelques semaines au mois d'août.

— Noël est dans deux jours seulement. Je suis content de savoir qu'on se reverra très bientôt durant les vacances.

Luc regarde l'heure sur son téléphone, puis fixe Benoît.

— Je vais m'ennuyer, tu sais, dit Luc.

— Moi aussi.

Sans se quitter du regard, ils échangent un court baiser sur les lèvres.

C'est alors qu'une voix se fait entendre au loin.

— Luc ! Luc ! Où es-tu ? C'est l'heure de partir !

— Oups ! C'est ma mère, s'exclame Luc en mettant sa main sur sa bouche.

Ils se mettent tous les deux à rire.

— J'arrive, maman, crie Luc.

Il fait un signe de la main à son ami tout en s'éloignant.

— À bientôt, Benoît !

* *
*

Justine, Mano, Pauline et Nada partagent un service de voiture offert par MétroNumb pour se rendre à l'aéroport.

Avant de se quitter, Justine et Mano échangent quelques mots.

– Mano, j'te promets qu'à mon retour à Montréal j'me trouve un p'tit travail pour me ramasser d'l'argent pour aller t'voir à New York l'été prochain. Je vais l'réaliser mon rêve. C'est certain !

– Je suis prêt à t'accueillir ! N'importe quand ! Tiens, en attendant, tu liras ça dans l'avion. Mais pas avant.

– C'est quoi ?

– Un slam que j'ai écrit. À bientôt, Justine !

– Bye, Mano !

« J'pense que c'est le gars le plus spécial que j'ai jamais rencontré de toute ma vie. J'aurais aimé ça gagner, mais j'suis vraiment contente que ce soit lui. Et puis, j'ai eu une mention spéciale ! »

Imaginez un cœur qui craque, qui claque et qui éclate
Le corps est noir, mais le cœur, lui, est rouge, écarlate
On ne peut décrire ces centaines de sensations qu'il ressent
Avec des mots, car il nous manque des nuances pour décrire ces mélanges
La colère et la frustration, ou bien la tristesse et la confusion
Il en a mal à force de serrer les molaires et de souffrir sans raison
C'est trop de pression, tellement qu'il en confond les émotions
À vrai dire, l'amour et la haine sont très proches
Un tremblement incontrôlable, des poings serrés dans les poches

*Un malaise inconsolable, l'une est belle, l'autre
est moche
Le cœur surchauffe, il a besoin de tout remettre
en place
Au moindre changement, il sursaute, il a
besoin qu'on se mette à sa place
La vérité c'est qu'il est perdu, déboussolé
Pour un rien, il est ému, ou déprimé, actif, ou
pétrifié
Mais d'un coup, l'amour prend de l'espace,
s'agrandit, et prend sa place
Il conquiert et fait fondre la glace
Et va jusqu'à lui mettre du rouge sur la face
Le corps est noir, mais le cœur, lui, est rouge,
écarlate.*

Crédits pour les slams

Le slam de Luc (p. 285) a été composé par César Gauthier.

Celui de Justine (p. 288-290) a été rédigé par Michaëlle Brossard.

Ceux de Mano (p. 190, p. 292-293, p. 298-299) ont été créés par Victor Wauters.

Besoin d'aide ? / *Need help?*

Parle à une personne en qui tu as confiance ou contacte un service de soutien.

Pour le Canada :
Jeunesse J'écoute/Kids Help Phone Line
https://jeunessejecoute.ca/

International :
Ligne internationale d'assistance aux enfants/
Child Help Line International
https://childhelplineinternational.org/
child-helplines/child-helpline-network/

Remerciements

Un grand merci pour l'apport inestimable et le soutien bienveillant de tous les instants de Dominique Pourtau-Darriet, ainsi qu'à toutes les participantes de l'atelier d'accompagnement à l'écriture : Laure, Florence, Eunjung, Diane, Isabelle, Corinne, Christelle, Laetitia, Marie-Christine et Sandra. Vos commentaires pointus, vos encouragements, nos échanges et nos rires m'ont permis de venir à bout de ce roman. Je n'y serais jamais arrivée sans toi, chère Dominique, sans vous, chères femmes, qui écrivez.

Merci à mes trois jeunes collaborateurs. Victor Wauters a été là dès le tout début, à composer des slams évocateurs. Grâce à sa précieuse contribution, le concours de slam a pu naître, devenant l'élément rassembleur du roman. Puis se sont ajoutées les plumes de César Gauthier et de Michaëlle Brossard. Le roman avait alors trois voix bien distinctes. Le concours de slam pouvait enfin commencer !

Je ne pourrais énumérer ici toutes les personnes qui m'ont appuyée dans mon écriture. J'ai eu la chance d'avoir des commentaires constructifs et judicieux sur l'une ou l'autre des histoires de mon livre et de parler de celles-ci à tellement d'oreilles attentives. Chacune et chacun à votre manière, vous m'avez inspirée et soutenue. Un merci spécial à mes parents qui ont lu et commenté mon livre avec grand soin et à ma sœur Josée, pour sa grande perspicacité dans les remaniements ; à mon amie Nathalie qui a entendu avec patience et attention des centaines de versions ; à Laure, pour sa généreuse présence, à mes côtés dès le début et qui y est encore ; à Leah, sœur d'armes, dans les joies comme dans les doutes ; et enfin, à Emma qui a annoté le texte avec tant de rigueur et d'amabilité. Je voudrais aussi souligner l'engagement de Mme Fabienne Fontaine et de toute sa classe de français qui ont lu et commenté mon manuscrit à Southbank International School à Londres.

Merci à vous, mes enfants. Pierre, tu as été mon premier lecteur, mon premier critique. C'est toi qui m'as encouragée à continuer alors que je songeais à abandonner. Tu as été là du début à la toute fin de mon processus d'écriture, vieillissant avec mes personnages qui sont apparus à tour de rôle. Marie, tu as lu tout mon manuscrit une fois terminé. Tes commentaires et ton enthousiasme m'ont encouragée à ne pas baisser les bras, à travailler de plus belle. Paul, tu seras mon tout premier lecteur, celui qui recevra le « vrai » livre, alors que toute cette aventure a débuté il y a de cela six ans ! Tous les trois, vous vous êtes réjouis avec tant de sincérité lorsque j'ai appris que mon livre serait publié. Cela m'émeut encore. Merci du fond du cœur pour votre soutien.

Merci à Jean, mon mari, mon ami, pour ton inlassable soutien. Tu as cru en moi. Durant les nombreuses fois où je me remettais en question, tu étais toujours là pour me soutenir, me faire voir la lumière lorsque qu'elle me semblait éteinte. Tu m'as donné et fait voir toutes les possibilités afin que je puisse mener à bien ce travail d'écriture. Je te remercie infiniment.

Merci à vous, les jeunes, pour qui j'ai écrit ce livre. J'ai voulu vous témoigner toute l'admiration que j'ai pour vos capacités à vivre votre vie avec les doutes, avec les difficultés comme avec les joies qui la composent. Vous m'inspirez. Merci !

À propos de l'auteure

Originaire du Québec, Claudia Lahaie a eu la chance de vivre un peu partout à travers le monde, notamment à New York, Londres, Singapour et au Cameroun. Elle a étudié en service social dans la ville de New York, où elle a obtenu une maîtrise de Hunter College ainsi qu'un doctorat de l'Université Columbia. Elle a choisi de s'installer avec sa famille à Ottawa, ville qu'elle affectionne pour son bilinguisme, son côté international, ses joyaux historiques et urbains, dont le magnifique canal Rideau, ainsi que sa proximité avec le majestueux Parc de la Gatineau.

Avide de lecture, francophone en particulier, cette travailleuse sociale réalise aujourd'hui un rêve qu'elle chérissait depuis de nombreuses années, celui d'écrire un roman. L'amour qu'elle porte à son travail avec les adolescents et aux différentes cultures est l'inspiration de son livre, *Les voies du slam*.

Se basant sur ses observations et son vécu, l'auteure veille à ce que l'histoire soit racontée avec crédibilité et profondeur. Elle reproduit les divers registres de langue en fonction des lieux et des origines des personnages. Elle se souvient très bien de ses années d'adolescence, le stress de l'école, le groupe d'amis, les premières amours, la recherche de l'indépendance. Elle souhaite que ses lectrices et lecteurs se reconnaissent dans ses personnages, par leur interaction, la difficulté parfois d'exprimer leurs premières émotions en amour, leur amitié, leur solidarité, leur santé mentale, la quête de leur identité, etc., et qu'ils apprennent sur eux-mêmes en se questionnant sur la pluralité des modes de vie et de pensée des gens qui les entourent.

Outre la lecture, Claudia aime jouer du piano, écouter de la musique, faire de l'exercice sur de la musique entraînante, du yoga, de la méditation et être dans la nature avec sa famille et son chien Labo. (Non. Pas comme dans laboratoire. Labo est la combinaison de la première syllabe du nom de famille composé de ses enfants). Elle se passionne pour tout ce qui l'amène à la rencontre de l'autre : un repas partagé, un livre, une pièce de théâtre, un film, un documentaire, un voyage ou tout échange et réflexion au sujet d'enjeux sociaux.

Claudia poursuit son rêve, celui d'améliorer la société, par des projets communautaires et, bien entendu, par l'écriture.

Table des matières

COLLECTION 14/18

BÉLANGER, Pierre-Luc
24 heures de liberté, 2013.
Ski, Blanche et avalanche, 2015.
Disparue chez les Mayas, 2017.
L'Odyssée des neiges, 2018.
Dany à la dérive, 2021.

CANCIANI, Katia
178 secondes, 2015.

DUBOIS, Gilles
Nanuktalva, 2016.

FORAND, Claude
Ainsi parle le Saigneur, 2007.
On fait quoi avec le cadavre? (nouvelles), 2009.
Un moine trop bavard, 2011.
Le député décapité, 2014.
Cadavres à la sauce chinoise, 2016.
Le pire vampire, 2019.

LAFRAMBOISE, Michèle
Le projet Ithuriel, 2012.
Le secret de Paloma, 2021.

LAHAIE, Claudia
Les voies du slam, 2022.

LAROCQUE, Jean-Claude et Denis SAUVÉ
Étienne Brûlé. Le fils de Champlain (Tome 1), 2010.
Étienne Brûlé. Le fils des Hurons (Tome 2), 2010.
Étienne Brûlé. Le fils sacrifié (Tome 3), 2011.
John et le Règlement 17, 2014.

MALLET-PARENT, Jocelyne
Le silence de la Restigouche, 2014.

MARCHAND, Micheline
Perdue au bord de la baie d'Hudson, 2020.

MARCHILDON, Daniel
La première guerre de Toronto, 2010.
Otages de la nature, 2018.
Les guerriers de l'eau, 2021.

MATTEAU, Michèle
Entre ici et là-bas, 2019.

MUIR, Mathieu
L'ère de l'Expansion, 2019.

OLSEN, Karen
Élise et Beethoven, 2014.
La rançon d'Atahualpa, 2018.

PAILHOUS, Maïlys
L'épopée de Lô. 1. Le plus grand des voleurs, 2022.

PÉRIÈS, Didier
Mystères à Natagamau. Opération Clandestino, 2013.
Mystères à Natagamau. Le secret du borgne, 2016.
Mystères à Natagamau. Sur la voie du sang, 2019.

RENAUD, Jean-Baptiste
Les orphelins. Rémi et Luc-John (Tome 1), 2014.
Les orphelins. Rémi à la guerre (Tome 2), 2015.

ROYER, Louise
iPod et minijupe au 18ᵉ siècle, 2011.
Culotte et redingote au 21ᵉ siècle, 2012.
Bastille et dynamite, 2015.
Téléportation et tours jumelles, 2018.

TAYLOR, Drew Hayden
Le rôdeur de nuit (traduction de *The Night Wanderer, a Native Gothic Novel* par Eva Lavergne), 2020.

VIENS, Mylène
Pourquoi pas?, 2018.

Illustrations de la couverture : © Grynold et © S-BELOV (Shutterstock)
Photographie de l'auteure : Robert de Wit @ 200f2 Photography
Couverture et mise en pages : Anne-Marie Lemay-Frenette
Maquette : Anne-Marie Berthiaume
Révision : Sara-Lise Rochon

Achevé d'imprimer
sur les presses de l'Imprimerie Gauvin
Gatineau (Québec) Canada